男性復活!

宇宙の進化と男性滅亡に抗して

佐治晴夫
堀江重郎

Rebirth of Men and the Evolution of Universe

Saji Haruo＋Horie Shigeo

春秋社

男性復活！

目次

第1章 科学は生命の歌をうたう …………… 3

物理学と現代医学が出会うとき

男性復活！

宇宙の進化と男性滅亡に抗して

第1章

科学は生命の歌をうたう

物理学と現代医学が出会うとき

科学技術で変わる医学

佐治——僕はここへ来るのにタクシーを使ったんですが、昔は「この道を入ったところ」と言っただけで到着したのに、今日は地図を渡してもわからなくて、「正確な住所はわかりませんか」と言われて、住所をカーナビに入力して、さらにいろいろ調べて、ようやく着いた。これだったら自動運転のほうがいいんじゃないかと思ったくらいです。タクシードライバーの資質も変わったんですね。

堀江——カーナビの原理はＧＰＳ【1】ですね。そしてＧＰＳを可能にしたのはアインシュタインの相対性理論ですよね。しかしカーナビがあると、ドライバーさんがこれまでは覚えていたはずの知識や方向感覚が失われてしまうんでしょう。

佐治——社会の事情で仕方ないとも思いますが、さみしい気持ちもあります。医学の分野でもＩＴや機械の登場で変わったことはありますか。

堀江——いま医師のデスクには必ずコンピューターが載っています。患者さんがお話しされた症状や、医師の診察の所見、血液や尿のデータ、ＣＴやＭＲＩ、あるいは胃カメラなどの内視鏡の画像、そういった患者さんの情報、診療の記録で

【1】**GPS**　グローバル・ポジショニング・システム（全地球測位システム）の略。数個の人工衛星の電波を受信し、発信時間と到達時間を用いてそれぞれの衛星からの距離を測定することで、自分の位置を知るシステム。

あるカルテはコンピューターで管理しています。昔の紙のカルテとの比較で、今は電子カルテと言われるようになりました。

僕が医学部に入ったころは、臨床医学の最初は診断学といって、触診や聴診を習うことが中心でした。いまでも内科なら心臓や肺は聴診をしますが、医療全般でいうと、CTなどの画像診断が発達して、古典的な診断学の重要性は少なくなっています。ですので体を触って診断することが減っています。

もちろん体の表面は目で見たり触ったりすることが大事ですが、体の内部の問題だと、手で触るより画像で見たほうが早い。けれども昔の医師は、からだを触って、問題の所在を推測できた。だからタクシーの運転手さんの方向感覚ではありませんが、患者さんをぱっと見て「あ、この人はどこか悪いな」とすぐわかる能力はだんだん減っています。「とりあえず検査してみましょう」ということになります。

専門化の功罪

佐治——画像を撮った場合、画像を見る目が重要になりますね。画像を見ても見落としてしまっては意味がない。そういうテクニックを身につけるのはたいへんですか。

堀江――現在の医学は臓器を中心に組み立てられていまして、医師になるために肝臓や心臓、前立腺といった臓器のなりたちや異常はしっかり勉強しますが、今は専門医の時代なので、専門領域の臓器しかわかりません。たとえば、肝臓の画像はわかるけれど大腸については怪しいといったことはよくある。もちろんあまりにも明らかなものや、臓器の違いに関係ない原則的な問題についてはわかりますが、これは専門性の罠ですね。

医療事故で多いのは、自分が関心のない臓器に病気がある場合です。夜に患者さんが駆けこんできて、「お腹が痛い」「下痢をしている」というのでＣＴを撮ったとします。実は初期の肺がんがあるのだけれど、当直医にはそれは見えない。「お腹に何か問題があるのかな」という関心で見ているからです。お腹の中には入院を要するとか、手術が必要という所見が見当たらなければ、「何も問題はないので帰ってください」ということになる。患者さんが帰ったあとに放射線の先生が「初期の肺がんがある」というレポートを書いても、当直が終わって帰宅した医師はそれを見ていないことがよくあります。

これは見落としなのか、関心の欠如なのか、判断がむずかしい。医師の問題というよりも病院のシステムの問題というべきかもしれません。お医者さんには関心のあるところしか見えないんですね。

佐治――現代の科学にもそれに近いところがあります。何かひとつの現象を見るとき、それぞれの専門分野の人だけが見ると、かえってわからなくなることがある。

たとえば、原子の内部の構造を見るとき、原子の内部を見るなら高いエネルギーを持つ粒子をぶつけて、ばらしてやればいいだろうと考える。かたや相対論的にいえば、エネルギーをぶつけることによって、$E=mc^2$によって、新たな物質が生まれてしまう。「見る」といっても、いったい何を見ているのかということになる。やはり総合的に考えなくてはいけない。それに似ているような気がします。

堀江――実験の手法によって違うのですね。

佐治――まったく違うのです。たとえば、光を粒子としてとらえる実験装置を使うのか、波としてとらえる装置を使うかで、光の姿が違って見えるのです。

堀江――光には波や粒子の性質があることは、僕たち習いましたが、それを統合したイメージで持つのはむずかしいです。

佐治――この問題で物理学者は一〇〇年くらい悩みつづけて、そこから生まれたのが量子力学です。「光とは何か」といっても実体は見えてこない。見えないけれど、光をレースのカーテンのようなものを通して見ると縞模様がみえる。これは波の性質ですね。

堀江――光の波が干渉【2】するわけですね。

佐治――そうなんです。そこで「ああ、光は波だ」と言いたくなる。しかし光電効果といって、金属の板に光を当て、そこから電子がどのように出てくるかを観察すると、波と考えるのではダメで、つぶつぶになります。

そのつぎに蟹の目玉をとってきて、光をあてて、蟹の目玉からどんな電気信号が出てくるか。パルスで出てくる。連続的には出てこない。強い光だとパルスの間隔が速くなります。すると、これは波ではなくて粒子だというふうに見えることになります。

それらを統合するにはどうするか。光は波でもなければ粒子でもなく、光は光としかいいようがない、ということになってしまうんですね。光とは、頭のなかでだけ描きうる抽象的な数学空間のなかに存在する〝なにか〟なのだというとこ

【2】干渉　複数の波が重なりあい、波同士が強めあったり弱めあったりすることで、新しい波形ができる現象。一八〇五年ころ、イギリスの物理学者トマス・ヤング（一七七三―一八二九）がひとつの光源から出る光を平行なふたつのスリット（細長い長方形の隙間）を通したとき、正面の衝立に干渉を示す縞模様ができると示したことで、光が波の性質を持つことがわかった（ヤングの実験）。

ろに落ち着いてしまいます。もっと身近な例でいえば、目を細めてまぶしい光をみると、周囲に広がって見えますが、これは光が波の性質を持っているからなのですが、光がもし波だとすると、遠くの星からやってくる光は、距離の二乗に比例して広がってしまって弱くなりますから、その星が太陽程度に輝いていたとしてもその可視限界距離は、およそ〇・二光年になってしまいます。でも一〇光年彼方のシリウスだって、二〇数光年彼方の七夕の星だって、二五〇光年彼方のおとめ座のスピカだって肉眼で見ることができます。これは光が波ではなく、遠い宇宙空間を旅してきても、波のようにひろがらない粒子の性質をもっているからなんですね。

堀江——それが数学の式のなかに表されるのが凄い。

臓器と星の相似性

佐治——僕がたいへんおもしろいと思うのは、「数」ってどこにも見あたらないことです。「2」ってどこにありますか。そう訊かれても困ってしまう。でも、「個」とか「人」をつければ、「二個」とか「二人」になって具体性がでてきます。

直線とは何かというのもおもしろい。「直線を書きなさい」といわれても書けない。直線とは、無限の彼方からやってきて無限の彼方に去っていくものであって、しかも幅がない。そんなものは書けないんです。どこにあるかといえば、頭のなかにしかない。

しかし、そういう現実に存在しないものが三本交わったら、三角形ができる。三角形は平面であるかぎり、つねに内角の和は一八〇度。いったいどういうことなのか。頭のなかの抽象的な世界にだけ、そういった真理があるんですね。

というわけで、数学を道具にして考察をすすめる物理学とは頭のなかの世界です。現実の世界をどれだけ頭のなかの世界に写しとって、頭のなかで処理をして、また現実の世界に戻すかということを物理学はやっているのです。

体の場合も臓器は見えませんけれど、最近のテレビの情報では、臓器同士が信号を出してやりとりをしているという話を聞きます。腎臓は腎臓として独立しているというより、他の臓器といろいろ関係しあっているということでしょうか。

堀江――そうなんです。昔の医学は体全体を見るということで、気質論[3]といって、人間を胆汁質とか多血質とか、便宜上勝手にわけて、それぞれの気質によって病気が起きるという考え方がありました。それがコッホ[4]による細菌の発見によって、

【3】**気質論**　西洋に伝統的にある体液と体格・性格・病気を関連づける学説。古くはギリシアのヒポクラテス（前四六〇頃-前三七〇頃）が、エンペドクレスの四大説

外部から進入する病原菌が人間を変化させ病気にする。つまり病気には何らかの原因があるということになった。これを病因論といいますが、それが対象とする臓器もだんだんわかってきた。

ところが、いま先生がおっしゃられたように、最近では臓器連関といって、臓器には特有のシグナルがあります。たとえば胃から出るシグナルにグレリン【5】というものがある。これが脳の視床下部に働くと食欲が亢進される。するとこれは消化器と脳の連関になる。ほかにも腸と脳の連関だとか、腎臓と肝臓の連関とかいろいろあるのですが、悲しいかな、医学の場合、腸脳連関とか心腎連関とか心肺の連関とか、ふたつの臓器までは連関がわかるんだけど、三個になると問題が複雑すぎてわからない。だから三個の臓器の連関の話題はないんです。

佐治――それは物理学と同じです。古典力学で星の運動を解こうというとき、天体がふたつ、つまり二体の場合は完璧に解けるんです。たとえば太陽と地球であれば完璧に解ける。ところがそれらに影響を与える木星とか、三つめの天体が出てくると解けなくなる。二体問題（two-body problem）は解けるが、三体問題（three-body problem）は解けないというので、物理学は何百年もの長い苦労をしたのです。

をもとに考案した体液気質説があり、多血質・黒胆汁質（憂鬱質）・胆汁質・粘液質の四気質に分類し、体質に基づく病気は体液に原因があると考えた。この考えはとくに性格の分類の面において後世まで引き継がれ、哲学者カントなども気質論を展開している。近代のエルンスト・クレッチマー（一八八八―一九六四）による分裂気質・躁鬱気質・粘着気質の分類もこの延長線上にある。（藤井忠義「西洋の性格学――古典的体液気質論」『大手前女子大学論集』1：6―22を参照）

【4】**コッホ**　ロベルト・コッホ。一八四三―一九一〇。ドイツの医師・細菌学者。炭疽菌、結核菌、コレラ菌の発見者。細菌培養の手法を考案し、細菌が病気の原因であることを証明した。

【5】**グレリン**　胃から産出されるペプチドホルモンで、食欲を増進させるほか、脳下垂体を刺激して成長ホルモンの分泌を促進させる働きを持つ。

では、三体問題はどういう解き方をするかというと、摂動論というのがあるのです。摂動は英語だとパーターベイション（perturbation）といいますが、（二体問題に対して）他（の第三のもの）からの影響がこのくらいあったらこうなるだろうというのを仮定して解いていって、それがダメならもう一度やりなおすという単純な方法をくりかえすのです。それとすごく似ています。

堀江――一種のトライ・アンド・エラーをしていくのですね。いまだとＡＩ的な発想でしょうか。いろんなものをあてはめて答えを見る。

佐治――摂動論の延長線上にデジタルの二進法（０と１）の発想があるのかなとも思うんです。トライ・アンド・エラーですから。

堀江――天王星の楕円軌道に微妙な狂いがあって、それが新しい惑星（海王星）の発見【6】につながったという話をよく耳にするのですが、あれも摂動論ですか。

佐治――そうです。摂動論です。摂動論で発見された星が天王星とか海王星なんです。あの動きの裏には、何かなきゃおかしいぞ、という発想です。

堀江――ラグランジュ【7】なんかはそうですよね。

佐治――ええ。ラグランジュは摂動論で有名です。

堀江――摂動論はひとつの数式で表されるのですか。

【6】**海王星の発見** フランスの天文学者アレクシス・ブヴァール（一七六七－一八四三）は一八〇八年に『木星と土星の天文表』を、一八二一年に『天王星の天文表』を発表したが、前者が天体の位置を間違いなく示したのに対し、後者にはしばしば不規則な違いが生じたことから、天王星の軌道に影響を与える天体の存在を予測した。フランスの数学者ユルバン・ルヴェリエ（一八一一－一八七七）は天王星の軌道の計算と観測のずれから未知の惑星の位置を予測し、ベルリン天文台のヨハン・ゴットフリート・ガレ（一八一二－一九一〇）に連絡、ガレは一八四六年九月二三日に新しい惑星を発見した。

【7】**ラグランジュ** ジョセフ＝ルイ・ラグランジュ。一七三六－一八一三。イタリア生まれのフランスの数学者・天文学者。一六歳のときにトリノ王立砲術学校の教授に就任した早熟の天才。代数学や解析学に多大な業績を残し、さらにそれらを力学に応用して解析力学を打ち立てた。メートル法の制定にも尽力した。

佐治――数式に摂動項という項を加えるのですね。そして解いていく。たとえば、運動方程式がFであるとすれば、F＋Δみたいに摂動項を加えて解いていくのです。

堀江――数式だけで解くのですか。観測記録とあわせて解いていくのでしょうか。

佐治――観測記録とあわせて解きます。

堀江――そうすると、それは数学だけれど観察科学になりますね。

佐治――そのあたりを数学者はすごく嫌うんですよ。僕はもともと数学をやっていて、そのあと物理に移ったのですが、かつて、岡潔[8]先生にこう言われたことがあります。

「数学者というのは百姓だ。いい種を見つける能力があればそれでいい。その種を撒いて、火が降ろうが槍が降ろうが、腕組みをして天を仰いでいればいい。物理学者は違う。物理学者は指物師だ。いろんなものを集めてきて、組みあわせたりけずったりしてものをつくっている。原子の構造がわかってから、すぐに原爆に結び付けたりしたしね……。そのへんのことをよく頭にいれておきなさい」（笑）

数学者から見れば、物理はひどく曖昧に見えてしかたがない。そこに数学者と物理学者がなかなか一緒に仕事をしにくい理由があるようです。

【8】**岡潔**　一九〇一－一九七八。数学者。大阪生まれ。京都帝国大学を卒業してすぐに講師に就任。京都帝国大学助教授、広島文理科大学助教授、北海道大学理学部研究補助などを経て、奈良女子大学理家政学部教授を長く務めた。多変数複素関数論を研究し、ハルトークスの逆問題など三つの大問題をすべて解決した。日本文化や情緒に深く関心を寄せ、随筆も多くものしている。

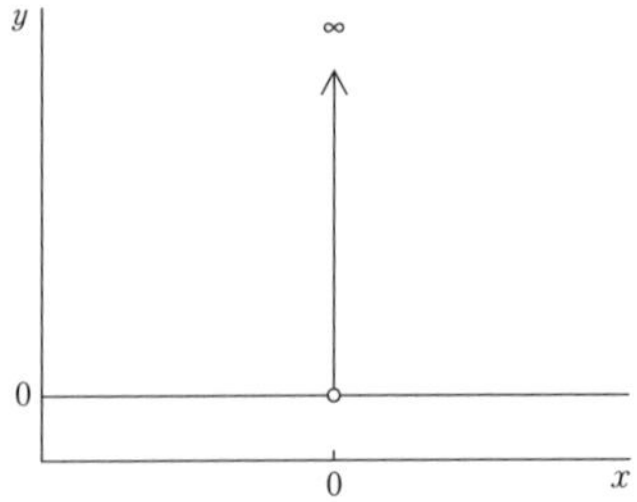

ディラックのデルタ関数

堀江——理論物理であっても数学者とは距離があるのですね。

佐治——（他と比べたら）少ないですが、距離はあります。デルタ関数（上図）というのがあります。座標軸の上にこのように描けるのですが、x軸上のマイナス無限大からプラス無限大までの面積を積分すると1になるのに、ここ（$x=0$）にしかない。このデルタ関数なんて数学者が見たら言語道断（笑）。しかし物理学者は、こういうものを考えることによって、原子の構造がぴたりと解けるんです。

堀江——それは数学の限界なんでしょうか。

佐治——ぼくは数学ほど自由な学問はないと思っています。数学といえば、2から1は引ける。5から2は引ける。でも3から5は引けないじゃないか、となったら、「いや、それはマイナスを考えればいいじゃないか」。xの二乗が1ならば、xはプラス1かマイナス1。では、xの二乗がマイナス1になる数があるかというと、「それはありえない」というのではなくて、「いや、虚数がありますよ」という。数学ほど自由自在な学問はない。自由自在だけれども、論理は一貫していなくてはならない。二〇世紀最大の数学者ヒルベルト【9】によれば、「数学は現象世界との対応における真理を追究するのではなく、ただ、無矛盾性という条件のみを要求された仮定から形式的に結論を導いていく抽象理論」だということになりますね。そういう数学を使うから、何にもないところから宇宙は生まれたなんていうのが解けてしまう（笑）。しかし感覚的にはむしろ、むずかしくなっていくのかもしれませんね。

　だから臓器二つのあいだの関係は解けるけれども、三つはむずかしいというのは、まさに二体問題は解けるけれども、三体問題は解けないというのとパラレルで、びっくりしました。

数学者は奇人ばかり

堀江――いまお話に出てきた岡潔さんは、日本文化や美についても有名な方ですよね。

佐治――ええ。お年を召してからは仏教に傾倒されて、最近の人間は前頭葉を使

【9】**ヒルベルト**　ダーフィト・ヒルベルト。一八六二―一九四三。ドイツの数学者。現代数学の父の呼ばれるほど数学のさまざまな分野で多大な業績をあげたが、数学基礎論においては形式主義の立場をとり、数学を実在とは関係のない、公理と推論規則によって導出される記号の組みあわせの体系と見なした。数学の無矛盾性と完全性を証明しようという彼の試みをヒルベルト・プログラムという。

わなくなったなんてことを言っておられましたが、お孫さんがお生まれになったあとは、小さい子どもの成長を見ながら「人間はこうあるべきだ」などとおっしゃっていましたね。随筆も書かれて、代表作に『春宵十話』（毎日新聞社、一九六三年）や『紫の火花』（朝日新聞社、一九六四年）などがあります。

本当に凄い先生ですが、たいへんな奇人でもあったようですね、先生の京都のお宅を訪ねたとき、京都の街は碁盤の目状で、いわばx y座標になっているわけだからすぐわかるはずなんですが、わからない。それは先入観が邪魔していたのでしょうが、夏なので玄関の戸がはずしてあって、筵《むしろ》がさがっていたというんですね。まさかそんなところが岡潔先生の家だとは誰も思わないでしょう。

そこで、筵がさがっている玄関に入って「ごめんください。岡先生のご自宅はこの近くでしょうか」と訊いたところ、品のいいご婦人が出てこられて「手前どもでございます」。

なかへ入ると、畳の表面はぼろぼろに擦り切れていて、ところどころ藁がでている。

その奥に超巨大なテレビがあって、岡先生はそのテレビで（野球の）巨人・阪神戦を見ておられた。テレビの前に万年床が敷いてあって、そのかたわらに紙と鉛筆、それからコップが置いてあって、先生は腹ばいで「ほら行け。やれ」ってテレビに向かって言っている。そのテレビは、岡先生が文化勲章を受章されたので、松下幸之助【10】さんがプレゼントしたものだったようですが、そんな話も残っていて、やっぱり奇人としかいいようのない大天才でいらしたのですね。

堀江――奇人ですねえ（笑）。しかし岡潔さんの文章を読むとすばらしい。

佐治――数学者は奇人が多いようですね。というより奇人でなければ数学の世界には住めないといったほうがいいかもしれません。だから数学者の奥さんはたいへんです。数学者ではありませんが、あの湯川秀樹【11】先生のご夫人も、夜、赤ちゃんが泣けば、赤ちゃんを背負って外に出たり、押し入れに隠れたりなさっていたという話を聞いたことがあります。

もうひとつ、さきほどのヒルベルト大先生がいっていたように、数学者は論理を逸脱していなければ、あとはどうでもいいと思っているようなところがあります。

ある知人の数学者は、試験の答案用紙を配って「ぜんぶ行きわたりましたか？」と訊いたら、誰かが「足りません」と言った。普通だったら近くの学生に何枚か渡して、そこから順繰りに用紙を運んでいってもらうのが通例でしょうけ

【10】**松下幸之助**　一八九四－一九八九。実業家。和歌山県生まれ。九歳のとき小学校を四年で中退して丁稚奉公に出され、一六歳からは大阪電灯（現・関西電力）の見習い工員として働きながら関西商工学校の夜間部で学ぶ。一九一八年に妻や友人らと松下電器製作会社（松下電器産業株式会社を経て、現・パナソニック）を立ちあげ、電気アイロンやラジオなどを製造して事業を拡大、戦争も乗り越え、多くの子会社・関連会社を擁する日本一の家電メーカーに育てあげた立志伝中の人物。政治や教育にも関心が深く、ＰＨＰ研究所や松下政経塾を創設し、後者からは多くの政治家を輩出している。

【11】**湯川秀樹**　一九〇七－一九八一。理論物理学者。京都市生まれ。京都帝国大学理学部物理学科出身。京都大学教授、コロンビア大学教授、京都大学基礎物理学研究所所長などを歴任。中間子論で日本人初のノーベル賞を受賞した。平和運動にも力を入れ、また随筆も多くものしている。

れど、彼はその場で靴下を脱いで、裸足で机の上を歩いていって、用紙のない学生に直接手渡ししていたそうです。

堀江――へえ。

佐治――彼がまだ駆け出しの講師のころだったでしょうか、当時はまだコピーなんてなかなかできない時代でしたが、自分の顔写真と自分と似たような顔の写真を一五枚くらい並べて番号をふり、「私は何番でしょう」っていう問題を試験で出したことが話題になっていました。文系の一般教養の受講生たちだったので、授業にでていなければ担当教官の顔はわからないだろう、という発想だったのでしょうね。

堀江――まぎれもない奇人ですね。

佐治――こんなエピソードもありましたね。

　その数学者の研究室の秘書は、私の教え子だったのですが、私がその研究室を訪れたときに、彼は授業で不在でした。ちょうど、その日は、雨が降っていて、その女性秘書は、夕刻に、どこかに出かける予定があるらしく、雨がどの程度降っているのか気にしていました。

　そこに授業を終えた数学者が帰ってきたんですね。「先生、まだ雨は降っていますか」と訊ねる秘書を前に数学者は無言のまま立ちつくして、じっと黙りこんで考えていましたが、コウモリ傘を畳んで、ひざまずいて、「ごめんなさい。僕は傘をさしていたから、雨が降っていたかどうか確認できなかったんだよ」と言った。

堀江——いや、コウモリ傘を畳んだのだったら、コウモリ傘に雨粒がついているどうかで雨が降っていたかどうかわかるような気がしますが、そういうことには気がまわらないのでしょうね。

佐治——そうなんでしょうね。彼は背広もズボンもぜんぶまとめて洗濯機に入れて洗ってしまうような人で、女性には興味がなさそうだと思っていたら、いつのまにか結婚してアメリカに行き、そして僕に葉書をくれた。いきなり「赤ん坊が生まれました。小さくて、小さくて、本当に小さくて、びっくりです。この一件が生じたことによって、私は虫も殺せなくなりました。さようなら」って書いてある。

堀江——それも普通じゃない（笑）。

佐治——僕は数学科で勉強はしましたが、そこまでの奇人にはなれなかったので、数学者にはなれなかったということです（笑）。

もっとも理論物理をやるときには、数学をある程度やっていたことはとてもたすけになりました。物理学科から理論物理に来た人は、群論や何かでずいぶん苦労していましたからね。

堀江――でも、いま世の中で人気が高いのは数学者ではないですか。人工知能ばやりですから。

佐治――そうですね。ただ僕が言っている数学者は純粋数学のほうなんです。数学科といっても、現在では応用数学の分野でコンピューター科学とか人工知能があるのは普通ですし、女性も結構多い。保険会社なども数学科卒の女性を採用したりしています。しかし僕の時代の数学といえば、群論とか集合論とか数論とかいう時代なんです。そして僕が知っている数学関係者は、そんな人ばっかりでしたね（笑）。

堀江――壮絶ですね。

佐治――数学者に限らず、音楽家でも芸術家でも、えてして天才にはそういう変ったところがあるものなのでしょうね。おそらく脳のなかの思考回路がわれわれとは違っているのでしょう。

そういえば、私の授業を受けていた学生の中にも、天才がいましたね。彼は、講義の最中、一切、ノートをとりませんでしたね。聞いているのか聞いていないのかわからないような感じなのですが、僕の言ったことをぜんぶ覚えている。授業が終わった後、すっとやってきて申し訳なさそうに「先生の計算式のインデックスが違っていたように思います。Ψ_{ij}（プサイ・アイ・ジェイ）と書かれていましたが、あそこはΨ_{ik}（プサイ・アイ・ケイ）じゃないですか」なんて言ってきたことがあります。jがkになっても全体の式を見れば、話の筋道は通るのですが、少しでも違っていると気になってしかたがなかったのでしょうね。

堀江――サバン症候群【12】ではないですか。

佐治――そうかもしれません。彼は話すとき、相手の顔を絶対まともには見ません。横を見ている。でもすべてを見ていますね、しかし基本的には、とても優しい人です。今では大物になっていますが、数年前、私が講演の中でガンに罹患したことを話したときなど、一瞬、絶句するほどの繊細でやさしい心の持ち主です。

それから彼は講演などを頼まれたときなど、当日、突如、消えたりして主催者をあわてさせたりしますが、開始時刻三〇秒前くらいには必ず、戻ってきますね。公園でぶらんこを楽しんでいたようです。いつでしたか、対談開始直前に突如、消えてしまった。「会場のトイレが混んでいたから駅まで走って行ってきた」と

【12】**サバン症候群**　知的障害や自閉症でありながら、数学や記憶、語学、芸術などの特定の分野において天才的な能力を持つ症状。

ニコニコして言っていましたね。

堀江——脳の何らかの構造が違うのでしょうね。

相対性理論の正しさ

堀江——実際に眼で感じられるものについての数学はわかりやすいですね。高校生くらいまでの数学や物理だと、どちらもある程度感覚的に理解できます。しかしそこから先は、どんどんあらぬ方向に（笑）。

佐治——虚数の世界になっていくんですね（笑）。

堀江——アインシュタインの相対性理論などもそんな日常感覚から離れた世界なのに、それがなければ、普段使っているＧＰＳも出てこなかった。そんな理論が現実の世界で働いているのがおもしろい。

佐治——そこに真理があるのでしょう。アインシュタインは、マイケルソン・モーリーの実験[13]結果から、光の速度がどういう場合でも一定だと考えることで、特殊相対性理論を生みだしました。アインシュタインはどうしても時間と空間を統一して考えたかったのでしょうね。空間は可逆的なのに、時間の流れが不可逆な

【13】**マイケルソン・モーリーの実験**　アメリカの物理学者アルバート・マイケルソン（一八五二―一九三一）とエドワード・モーリー（一八三八―一九二三）が行った実験。当時、光が波であるならば、空間は光を伝える媒質であるエーテルで満たされていなくてはならないと考えられていた。ふたりは地球が東西方向に時速三〇万キロで公転運動をしていることに着目し、東西方向に走る光と南北方向に走る光の速度の差を計測することによって、エーテルに対する地球の運動を確認しようとした。しかしどんなに厳密に実験をくりかえしても速度の差を検出することはできなかった。（佐治晴夫『14歳のための宇宙授業』を参照）

ので、時間と空間は別物だと考えることが美しくないと感じていたのでしょう。

堀江――アインシュタインにしても、めぐまれない時期に、実験ではなくて頭ですべて考えたというのが不思議です。

佐治――彼は特許庁の役人でした。

堀江――その時期に、彼がそれまで蓄積してきた学問を組み立てたのでしょうか。それともまったく新しいものを生みだした、いわばイノベーションなんですか。

佐治――非ユークリッド幾何学にアインシュタインは長けていたようです。最初に非ユークリッド幾何学をつくったのはロバチェフスキー【14】とかボリヤイ【15】ですが、普通のユークリッド幾何学とは違って、たとえば平行線が交わってもいい。なぜかというと、地球の表面を見ていたら、赤道の上の二点からふたりの人間が真北をめざして歩いていったら、北極で出会ってしまう。そういうひとつの新しい空間のかたちから世界を論じていこうとしたんです。アインシュタインはトポロジーを含めて、幾何学ですべてを解こうとしていた。エネルギーも物質も、すべて時空の構造の中におりこんでしまったのがすごいですね。

堀江――当時、そういう学問がすでにあったのですね。

佐治――ええ、数学の世界としては、リーマン【16】幾何学やロバチェフスキー幾何学

【14】ロバチェフスキー　ニコライ・ロバチェフスキー。一七九二－一八五六。ロシアの数学者。カザン大学の教授、さらには学長として大学教育の再建に尽力し、同時に数学のさまざまな分野で業績を残した。論文「幾何学の新原理並びに平行線の完全な理論」で非ユークリッド幾何学である双曲幾何学を発表した。

【15】ボリヤイ　ヨハン・ボリヤイ。一八〇二－一八六〇。オーストリア＝ハンガリー二重帝国のハンガリー人数学者。ハンガリー流の読みかたではボーヤイ・ヤーノシュ。平行線公理の証明は不可能と気づき、論文「ユークリッド第十一公準を証明または反駁することの不可能の証明」で双曲幾何学を発表した。

【16】リーマン　ベルンハルト・リーマン。一八二六－一八六六。ドイツの数学者。数学のさまざまな分野で業績をあげたが、とりわけ複素解析の基礎づけと、非ユークリッド幾何学のひとつであるリーマン幾何学の確立で名高い。

などいろいろありました。そこへマイケルソン・モーリーのような人が実験をした。実験結果を解釈するのに時間の絶対性があったら困るので、時間もそのおかれた世界で伸び縮みすると考え、時間と空間をひとつの時空の両側面として考えてあの世界観をつくったのでしょう。

　しかし世界観はつくったけれども、それが正しいかどうかは誰もわからない。そこへ皆既日食があって、イギリスの天文学者エディントン【17】率いるイギリスの観測隊が、太陽の近くにある星の位置が、計算値とずれていることを発見して、アインシュタインの予言が正しいことが証明されました。太陽の重力によって星からの光の通り道が曲がっていたのです。一九一九年のことでした。

　もうひとつ、太陽に一番近い惑星である水星の軌道の近日点が、一〇〇年で〇・一六度ずれることがわかっていて長い間、謎だったのですが、この事実も、太陽の質量によって、周囲の空間がゆがめられた結果だということが、一般相対性理論によってきれいに解けたんですね。

　そんなこんなで相対性理論が正しいことがはっきりしました。現代のＧＰＳは、一般相対性理論は使いませんが、特殊相対性理論は使っています。

堀江——特殊相対性理論は使えるけれども、一般相対性理論が使えないのはどう

【17】**エディントン**　アーサー・エディントン。一八八二–一九四四。イギリスの天文学者。一九一九年にアフリカのプリンシペ島に赴いて皆既日食を観測、太陽の近くの星の写真を撮影し、本来の位置からずれて見えることを確認した。恒星の内部構造の研究や、相対論と量子論を統一する理論を模索したことでも知られる。

してですか。

佐治――特殊相対性理論は加速度がない世界の理論なんです。一般相対性理論は加速度がある世界。GPSの場合は、単に静止しているものと動いているものの時間が違うことだけが問題なので、特殊相対性理論で十分なのです。地球を基準とした場合、人工衛星は動いていますから、人工衛星のなかの時間は遅れている。

コンコルド[18]の実験というのもありました。世界初の超音速旅客機コンコルドはもう引退してしまいましたが、かつてはパリからニューヨークへの路線があった。それで機体のなかに原子時計を置いて本当に時間が遅れるかどうか実験したのです。そして本当に遅れた。そんなわけで、われわれの身近でも、動いているもののなかでは時間は遅れることが検証されています。

この特殊相対性理論による補正がないと、カーナビでも五〇メートルくらい位置がずれることがわかっています。五〇メートルずれると使いものになりませんよね。

堀江――ずれといっても位置のずれと時間のずれがあるわけですが。

佐治――位置の割り出しは、自分の位置と複数の衛星との間の交信に要する時間差を利用していますから、時間差の不正確さが、そのまま位置の不正確さになる

【18】**コンコルド**　イギリスとフランスが共同開発した超音速ジェット旅客機。一九六九年に初飛行、一九七六年から定期運行を開始。パリ―ニューヨーク間を三時間弱で飛ぶ速さが魅力だったが、航続距離の短さや乗客定員が一〇〇人にすぎず大量輸送に向かないことに加え、石油ショック以降のコスト高や環境問題などが重なって、わずか二〇機が生産されただけで、二〇〇三年には全機が退役した。

というわけです。その場合、地上の時間と衛星上の時間の進み方をくらべると、衛星上の時間の進み方は、特殊相対性理論によって予見されるようにゆっくり流れていますから、その補正をしないと、正確な位置測定ができないのです。

それに相当するようなことが医学にもありますでしょうか。

エピジェネティクスと素粒子物理学

堀江——医学は基本的に観察からスタートしていきます。

最近みなさんが興味を持っているのは、たとえばｉＰＳ細胞でしょう。

ヒトがヒトになるのはいつか、については法律上でもいろいろな見解があってむずかしいですが、一応、精子と卵子がひとつになって受精卵になった瞬間を考えることができる。それより前は自分に相当するものがない。したがって、その瞬間以降のどこかの時点からヒトであるはずです。

受精卵は受精の瞬間からどんどん分裂していきます。ＤＮＡという遺伝暗号が書いてある物質のまわりにいろんなタンパク質が出雲大社の注連縄みたいに螺旋状に巻いて染色体の構造をつくっていく。そこにいろんな「修飾」が起きてくる。

化学反応によって修飾が起きて、それによってどの遺伝子を動かすかという一定の配列が決まってくる。たとえば、腎臓だったらショパンの曲を弾くような、そのとき使う鍵盤だけが残って、それ以外は使えないようになる。肝臓はたとえばバッハです。バッハの曲で使うものだけが使える状態になる。固定されていくんです。

固定の仕方が一回決まると、その後もずっとつづきます。これをエピジェネティクス（epigenetics）といいます。「エピ（epi-）」というのは「上の」ということで、遺伝子の上に乗っかっているということで、ジェネティクスの上のエピジェネティクスというのです。

ヒューマン・ゲノム・プロジェクトというものがあります。人間の遺伝暗号をすべて解読する計画です。予想よりも早く解読されたのですが、遺伝子を実際に動かすという点では、遺伝暗号だけではなくこのエピジェネティクスが重要なんです。どの鍵盤を動かすかということですね。

ＤＮＡはからだ中のどの細胞もすべて一緒です。しかし臓器ごとにエピジェネティクスは異なっている。逆に言えば、鍵盤の動かしかたの違いによっていろいろな臓器ができてきます。さらに一つの臓器の中にもいろいろな種類の細胞がいて、それぞれ異なる仕事をしています。難しい言葉では、臓器の特異性と、細胞の特異性といいます。受精卵から個別の臓器の中のある種類の細胞へ変化していくことを、細胞の分化というのですけれど、受精卵という、もとの原始的なものから、だんだん個性的なものになっていく。

山中先生[19]が凄いのは、いろんなファクターを細胞に叩きこんでいって、エピジェネティクスをもう一回リセットするものを探した。その結果できたのがiPS細胞なのです。例えば皮膚の細胞であってもiPS細胞にして、エピジェネティクスがリセットされると、臓器特異性、細胞特異性がなくなり、再びいろいろな細胞へ変化できるのです。

遺伝子DNAからメッセンジャーRNAができて、それからタンパク質をつくるというのが生物学のドグマであり、そうして個別の臓器や細胞の遺伝子がエピジェネティクスという作用で変化していく。これは一方向性だと思われていましたが、そうじゃないということを発見したのがノーベル賞に値したのですね。

佐治――リセットして最初の状態に戻してやるのですね。

堀江――そうです。ただ、はっきり言いきれないのですが、概ね戻るけれども、完全には戻らないといわれています。特に細胞が生きてきた「時間」はリセット

【19】**山中先生** 山中伸弥京都大学iPS細胞研究所所長・同大学教授のこと。一九六二年、大阪府生まれ。神戸大学医学部卒。国立大阪病院勤務を経て、大阪市立大学大学院にて博士（医学）号を取得。従来の受精卵を使ったES細胞（胚性幹細胞）ではなく、皮膚の細胞など体細胞に発癌遺伝子などの四つの遺伝子を導入することで分化多様性を持つ細胞をつくりだすことに成功。iPS細胞（induced pluripotent stem cell）と名づけた。この功績によって二〇一二年のノーベル生理学・医学賞を受賞した。

されていない可能性がある。だから七〇年たったヒトの細胞をリセットしたらゼロ歳になるかというと、ゼロ歳にはならない。それでも、ｉＰＳ細胞はびっくりするような発見でした。

佐治――エピジェネティクスが起こった細胞をリセットするということは、本来は細胞の進化の方向性みたいなものがあるわけですね。ｉＰＳ細胞がその方向性を逆にしたというのは何となく相対性理論を思いださせます。

堀江――ブラッド・ピット主演の『ベンジャミン・バトン 数奇な人生』[20]という映画があります。これは老人がどんどん若返っていく人の話で、最後は赤ちゃんになってしまうのですが、これまでの考えだと皮膚の細胞は皮膚にしかならず、肝臓になることはないというのが生物学の最大の原則だったのです。なのに、そこからもう一回、元の細胞に戻って、さらに肝臓の細胞にもなれるということになった。とんでもない話です（笑）。

　これはまさにノーベル賞三個ぶんの大発見です（笑）。ただし、それがどうして可能なのかまだわからない。たしかに山中先生は四個の遺伝子を操作すると、細胞がもう一回元の状態に戻るということを発見した。そういう現象を観察したし、いろんな状況で再現もできる。しかし、なぜその四つの遺伝子なのか、ある

【20】『ベンジャミン・バトン 数奇な人生』 二〇〇八年のアメリカ映画。監督＝デイヴィッド・フィンチャー、主演＝ブラッド・ピット。老人の状態で生まれ、どんどん若返っていく男性の人生を描く。

いは他にはないのか、まだまだ探究すべきことはたくさんあるんです。

佐治――すごく素粒子物理学と似ていますね。原子を分解すると原子核と電子になり、原子核は陽子と中性子になります。さらに陽子や中性子という素粒子はクォークになる。基本的なクォークは三世代あって、アップとダウン、チャームとストレンジ、トップとボトムの六種類で、それにカラー（色荷）がついている。そのほかに電子の仲間が六種類いて、それらがどうくっつくかで、いろいろな粒子ができると考えられています。その中でも、基本になるのが三個のクオークです。

すべての物質は、それらの粒子たちの離合集散で、できているというわけです。しかも、その変化が速ければ速いほど、粒子たちの世界の時間はのびてきたり、あるいは、粒子同士の反応を考えると、時間を未来から過去にさかのぼっていると考えたほうが素直に理解できることも起こってくるんですね。

先生の細胞のお話を聞いて、順方向に流れる時間をある程度戻せるというのは、物理でいえば、観測されるものと観測している観測系の運動状態が違うのとすごく似ています。まさに相対論の世界を髣髴とさせますね。

姿を見せないクォークのふしぎ

堀江——原子の原子核のなかには何があるんでしたっけ。

佐治——普通は陽子と中性子です。陽子のなかにはクォークが三個ある。アップクォーク二個とダウンクォーク一個。でもクォークをとりだすことはできないんです。クォークは変な性質を持っていて、たがいを引き離そうとすると、とたんに「強い力」で反発する。

堀江——それは重力ではないのですか。

佐治——ぜんぜん違うもので、グルーオンとよばれる「糊の粒子」を交換しながらくっついているんです。重力の強さの一兆倍の一兆倍のさらに一兆倍くらいの大きさです。こういう理論の先駆けが湯川秀樹先生の中間子論でした。

それで何とかクォークをとりだすことができないかと、陽子加速器で光の速さに近いところまで加速した陽子同士をぶつけてやるとします。ものすごいエネルギーですから、陽子が壊れてクォークが出てきてほしいのですが、そのくらいの力が加わると、クォークは出てくるかわりに別のクォークと合体して別の粒子になってしまう。だからわれわれは絶対にクォークを見ることができない。

堀江――陽子以外の粒子になるのですか。

佐治――陽子以外の、シグマ粒子だとかラムダ粒子だとか、そういったものになります。

だから小さいものを見ようとして大きな力を与えれば与えるほど、相手は見えなくなって、次から次へといろんなものを生みだしてしまう。二〇世紀はじめのころは、陽子と中性子と電子と光と中間子くらいで物質はできていると思われていたのに、いまや元素の周期律表どころではなく、何百という粒子が出てきてしまった。それらの粒子を整理する周期律表のようなものが必要だという、たいへんな状況になってきたみたいですね。

堀江――何百という粒子を観察しているのですね。

佐治――でも、その根源のクォークは絶対に姿を見せてくれない。

堀江――それはエネルギー状態によって決まるのですか。どの粒子にもクォークが三個ずつあるんですか。

佐治――二個の場合もあります。それらを分類していくと規則性が見えてくるかもしれません。

堀江——なぜ三個とか二個なんでしょうか。五〇個とかにならないんでしょうか（笑）。

佐治——どうしてだかわかりませんが、三個とか二個だと考えるとつじつまが合うのです。

　だから「もう陽子を壊すのはやめよう」という風潮もなくはありません。アインシュタインのような天才が出てくれれば、もう一段高いところから俯瞰して、うまく整理してくれるのかもしれません。

　僕は、物質の基本となる何かを一本の「弦」のようなものだと考えることが、全体像を見渡すのに、すっきりするのではないかと思っています。たとえば、両端が固定された弦がある振動数で振動しているとします。そのときの振動をたとえば、音階でいえば、「ド」の音だとします。振動数が二倍になると一オクターヴ上の「ド」。振動数が三倍になるとその上の「ソ」、四倍になると、二オクターヴ上のドになる。五倍になると「ミ」の音になって、音階ができていきます。このように、一本の弦の上に生じる振動によって音程が変わっていくように、ひとつの基本的なものの振動が、いろんな粒子の顔をして現れているんだと考えると、すっきりするのですが、同時に別のむずかしい問題も出てきます。

堀江――それは「ひも理論」というものですか。

佐治――従来のひも理論そのものではありませんが、関係はあります。こういう目で素粒子の姿を見ていくと、さきほど先生がおっしゃった、ひとつの受精卵がいろんな細胞に分化していくのと、たいへん似ているような気がするのですね。

進化とf分の1揺らぎの謎

堀江――生物の繁殖では、そもそも異なる性を持つ細胞が合体して「受精卵」という形態になったことがおもしろいですね。わざわざＸ染色体とＹ染色体をつくりだした。

佐治――何が原因でそうなるんでしょう。ＳＲＹ遺伝子というのは聴いたことがあります。性を決定する遺伝子だそうですが。

堀江――ＳＲＹ遺伝子は男性を決定する、男性器をつくる遺伝子ですね。しかし、そもそもなぜＸＸとかＸＹという性染色体の組みあわせが必要になったかです。つまり有性生殖ですね。無性生殖といえば、たとえばバクテリアは自己を複製していきますし、あるいは有性生殖でも、都合のいいときだけオスになる生物もいます。貝なんかそうです。

有性生殖のひとつの利点は遺伝的な多様性をつくれることでしょう。違う組みあわせの染色体があると、それだけ変化ができる。

佐治——環境が変化しても対応できるということですか。

堀江——生き残れる可能性が高くなる。

佐治——一斉に淘汰されないということですね。そういう設計図はどこで書かれたのでしょうか。

堀江——それを考えはじめると、インテリジェント・デザイン論【21】のような話になってきますが、超越的な何かが働くという考え方もあります。

佐治——試行錯誤だけで生物の最終的なかたちができるものでしょうか。確率的にはずいぶん小さく思えます。

堀江——結局一種のブラウン運動的なランダムな事象の蓄積から複雑な生命体ができてくるものか。これは本当に不思議です。確率的にはどうなのでしょう。

佐治——ブラウン運動の場合は、運動する前の記憶を持っていて、そこから自由に動く。だからパワースペクトルをとってみると、その変動のパワースペクトルが二乗分の一に比例する。しかし生命を見ていると、f分の1のような気もする。

【21】**インテリジェント・デザイン論**　この宇宙や生命は知性を持つ何者かによって設計されたものであるという説。生物や自然の精妙な仕組みは、偶然や機械的な因果関係だけでは成立しないと考え、進化論に反対するが、「神」といった言葉を避けることで、特定の宗教に偏らない広い支持をめざすもの。

f分の1の特徴は、半分予測できて半分予測できないことです。この世界はそんなふうにできているのかもしれない。

自然の風を考えても、今度は強く吹くぞと大体は予測できるけれど、ときには外れてしまう。それがうまくバランスがとれていると、f分の1揺らぎになる。

実は、一九八〇年代に、ヤリイカの神経軸索をとりだして、その端からランダムなパルスを与えるという実験が東工大で行われたことがあります。ヤリイカを使ったという理由は、われわれのような生物系ではない素人が解剖でとりだせるのはヤリイカの神経軸索くらいしかないということだったようですが、ヤリイカの神経軸索にランダムのパルスを与えると、もう一方の端から、ちゃんとf分の1に整理されて出てくる。非常に不思議です。

すると、生物を進化させる揺らぎのデタラメさ加減は、半分予測できて半分予測できないといった性質がひょっとしたらあるのかな、などとふと思えるのですね。

堀江――いま先生がおっしゃったように、いろんな生体信号には揺らぎがあって、ある程度数学的なものに乗っかってきますよね。

佐治――末期のがんの方の除痛にf分の1揺らぎの電気刺激を使った研究もあり

ました。鍼治療で鍼に電流を流すとき、その電流の強度を数学的なf分の1揺らぎで変化させたのです。その揺らぎを最初からつくるのは、今のようにコンピューター技術が進歩していませんでしたから、とても難しく、そこでヴィヴァルディ【22】の「四季」の第一楽章「春」のレコードをかけて、その音の電気信号を使ったのです。そして、その結果は、確かに除痛効果があったという学会報告が印象に残っています。

堀江――ヴィヴァルディの曲なのがよかったんですか。

佐治――なぜヴィヴァルディがよかったのかを調べるために、ヴィヴァルディのレコードから出てくる信号をフーリエ解析してみたら、非常にきれいなf分の1揺らぎが検出されました。

ヒット曲と揺らぎの不思議な関係

堀江――フーリエ解析ではないですが、最近のヒット曲には、こういうものはヒットするというアルゴリズムがあるそうですね。音楽プロデューサーは、世界中からそういうものを探してきて展開するといいます。

【22】**ヴィヴァルディ**　アントニオ・ヴィヴァルディ。一六七八―一七四一。バロック時代のヴェネツィア生まれの作曲家・ヴァイオリニスト・カトリック司祭。孤児院・救貧院で音楽を教え、多くの楽曲も提供。多くの協奏曲を作曲すると同時にオペラ作家としても成功。各国を旅し、ウィーンで客死した。「四季」はヴァイオリン協奏曲集『和声と創意の試み』の最初の四曲が春・夏・秋・冬と名づけられていることから、これらを総称して呼ばれるもの。

佐治――「作曲って一体何だ」という話にもなってしまいます。実際、旋律を入力すると、自動的に作曲・編曲してくれるソフトが安価にあって、誰でも曲がつくれてしまう。

もちろん優れた音楽は、そんな簡単にどうにかなるものでもない。でも、カーナビによってタクシーの運転手さんが変わったという話のように、ＡＩや音楽ソフトの発達によって、人間の居場所がなくなっていくような傾向は否めませんね。

堀江――赤ん坊が夜泣きしているときにお母さんの心音がなだめてくれるという話もありますが、f分の1的な揺らぎがお母さんの心音にはあるともいいますね。

佐治――最近、脳科学者と動物学者が協力して、夜泣きをする赤ちゃんにお母さんの心音を聴かせることで、夜泣きしなくなったり、赤ちゃんと対峙するときの母親の精神状態とホルモンの分泌などの相関を調べる研究がされているようですが、以前、こんな実験がなされていたことがあります。

たとえば、赤ちゃんを寝かしつけるのに、お尻を軽くとんとんって叩きますよね。そこで、赤ちゃんを育てたことのない学生が叩いたときと、三人のお子さんを育てたお母さんが叩いたときにどうなるかという実験です。そこで明らかになったことは、お母さんのたたき方にはf分の1揺らぎの特性がはっきり出ていたんですね。これは論文にもなっています。

そのほかに、お坊さんに木魚を叩いてもらう。僕たち素人が叩くとどうもしっくり来ない。お坊さんの木魚は決して規則正しく叩いているわけではありませんが、木魚の音を録音してフーリエ解析すると、やはりf分の1揺らぎになっている。

さらに、これは東工大での実験ですが、木の年輪の間隔は一定のようでいて、詰まっていたりひろがっていたりします。そして坐禅をしているお坊さんの心拍のドキドキという心拍の時間間隔を縦じま模様であらわすと、まさに年輪の木目のようになっているのです。素人が坐禅しても心拍の間隔はきれいなf分に1揺らぎにはならないのですが、お坊さんだときれいになる。この場合、木目の幅の揺らぎは、地球の温度変動を反映しているわけですから、お坊さんの心拍揺らぎは、地球の温度変動と同じになるということなのですね。人間も、宇宙から生まれたヒトカケラだということなのでしょうね。

堀江――心電図の波形（図）でRR（間隔）というのがあって、Rというところを計るのですけれど、これが完全に一定になっているのは脳死の人なんです。

佐治――波のピークのところですか？

堀江——QRSですからピークですね。ピークからピークまでを計って、一定だと脳死。だとすれば、脳というのは揺らぎがあるのでしょうね。

佐治——世の中のかなりの部分は揺らぎからできていることになりますね。

バクテリオファージは宇宙人からの手紙？

堀江——僕が不思議なのは、生命体の遺伝情報がすべてDNAという物質でつくられていることです。少なくとも地球ではそうです。どうしてほかの物質ではないのか。いろんな物質であってもいいはずだと思うのですが。

佐治——しかも塩基は、アデニン、グアニン、シトシン、チミンの四つしかない。この並び方には規則性がありますよね。

堀江——あります。四つの塩基が三個つながるとひとつのアミノ酸になる。

佐治——つながり方に周期性がある場合もあるのですか。

堀江——パリンドローム（回文構造）といって、つながり方をくりかえすものはあります。ただ多くの場合、くりかえすものは邪魔者というか、生産的なものではありません。

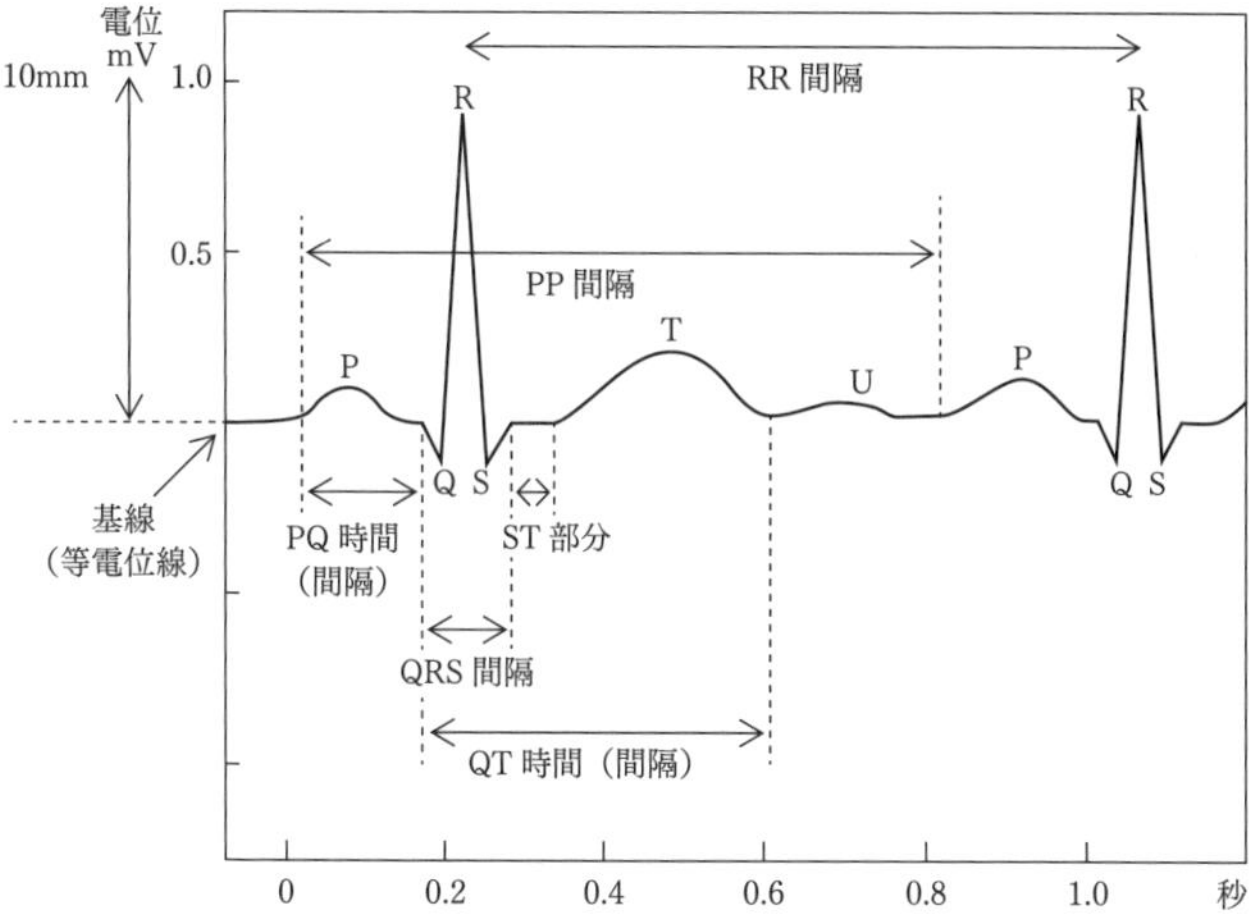

心電図

佐治――昔、バクテリオファージのφＸ１７４を調べたら、四つの塩基配列が一二一ごとにくりかえされるのが発見されたことがありました。一二一というのは一一かける一一。素数かける素数。ということは、一二一個という配列を、縦横それぞれ一一の二次元マップに書き直すことができます。そこで、それぞれの塩基に特定の色をつけて描くと、なんとも不可思議な模様ができるんですね。そんな塩基配列のくりかえしは自然に生まれたものとは思いにくいので、何かの信号ではないかということで、研究室全体が騒然となったという事例があります。

堀江——バクテリオファージは大腸菌などの細菌に感染して、そのなかで増殖するウィルスですよね。

佐治——それで、「これはＥＴ【23】からの信号ではないか」と色めき立った（笑）。生物手紙ですね。ＥＴがいたとしても、とても遠方からの信号ですから電気信号では時間がかかってしまう。そこで、コンタクトをとるには、生物のなかに（情報を）入れて、生物手紙にするかもしれない。バクテリオファージがそうではないか、という話で盛り上がったことがあります（笑）。

脳のケミストリーと人間の潜在能力

堀江——いまお話のあったバクテリオファージは大腸菌に感染しますが、人のＤＮＡのなかにはレトロウィルスがたくさんあるんです。レトロウィルスのひとつの例は、エイズ・ウィルス（ＨＩＶウィルス）ですね。ＲＮＡのゲノムを持っている。普通はＤＮＡの情報をＲＮＡがコピーしてタンパク質を合成するのに、このウィルスは反対に、ＲＮＡからＤＮＡを合成する、つまり「逆に」動くというので「レトロ（retro–）」という接頭語がついている。それが人間のなかにたくさ

【23】**ＥＴ**　extra-terrestrial の略で、地球外生命体、さらには宇宙人のこと。一九八二年のアメリカ映画『Ｅ．Ｔ．』（監督＝スティーヴン・スピルバーグ）の大ヒットによって一般にも使われるようになった言葉。

んある。悪さをするかどうかは疑問なのですが、なぜレトロウィルスが人間のなかにたくさんあるのかまだわかっていません。

佐治――人間の体ほど複雑なものはないと思いますけれど、人間にはさらに精神や心もあって謎は深まるばかりです。

堀江――最近はわれわれが心だと思っているものはケミストリーだという人もいます。『人は死なない』という本を書いた矢作直樹【24】先生です。いや、生物的にはなんであれ細胞の代謝はケミストリーしかないのですから、それ自体はあたりまえだと思うのですが、臨死体験で、亡くなるときには強い光を感じるといいますね。これもひとつのケミストリーというか、亡くなるときに酸素が少ない状況になると、光を感じるようになっているのではないか。

佐治――東大の救急医療にいらっしゃった方ですね。私がダライ・ラマ法王との対話をしたときにも同席しておられた方で、先生のお話には、法王もずいぶん関心をもたれたようでしたね。

堀江――そのほか山に登って臨死体験をすると、たとえば斜面を滑落していくあいだにいろんなことを走馬燈のように思いだすという話はよく聞くと思います。そういうスピリチュアルな体験は、ケミストリーだけではなくて、われわれのD

【24】**矢作直樹**　一九五六年、神奈川生まれ。金沢大学医学部卒。救急医・医療機器開発者。博士（医学）。東京大学大学院新領域創成科学研究科教授・同工学部精密機械工学科教授兼担、東京大学大学院医学系研究科救急医学分野教授および同医学部附属病院救急部・集中治療部部長などを歴任し、二〇〇六年に退官。現在、同大学名誉教授。二〇一一年に出版した『人は死なない――ある臨床医による摂理と霊性をめぐる思索』（バジリコ）はベストセラーになった。そのほかにも『おかげさまで生きる』（幻冬舎）など著書多数。（矢作直樹公式サイト「プロフィール」欄などを参照）

ＮＡのなかに、ある状態のときはこのような感覚を持つという仕組みがあるような気がしています。

佐治――その仕組みが状況によって、たとえばパニックになると働きはじめて、同じような体験を引き起こすのでしょうか。

堀江――小さいころ虫と話していたとか犬と話していたという人もいます。そういう能力もあるのかもしれない。筏を組んで星だけを頼りに航海するという話がありますが、本当に星だけを頼りにできるものでしょうか。何かもっと非常に原始的な感覚がそなわっているからではないでしょうか。

佐治――それはあるかもしれません。龍村仁監督のドキュメンタリー映画「ガイア・シンフォニー」[25]でも、そういった原始的な感覚を持っている人が出演していましたね。日本の万葉時代にもそういう人がいたらしく、太陽が出るときに岩の上で音がすると言っていたそうです。

　それからバリ島の民族楽器ガムランの演奏にはたしか楽譜がない。口伝で伝えられるのでしょうが、演奏中トランス状態になる。それを科学で解明しようという研究者もいました。女性研究者ですが、彼女はバリ島に行き、ケチャ踊りの師匠に「脳波を計らせてほしい」と頼み込んだのですが、当然のように断られ、そ

【25】「ガイア・シンフォニー」「地球はそれ自体がひとつの生命体である」というガイア理論を背景とし、美しい映像と音楽、そしてさまざまな人へのインタヴューで構成された、オムニバス形式のドキュメンタリー映画シリーズ。監督は龍村仁（一九四〇―）。第一番が一九九二年に公開され、最新作は二〇一五年公開の第八番。（ガイアシンフォニーオフィシャルWebサイトなどを参照）

こで、一〇年くらいバリ島へ行って住みこみの弟子になる。弟子になってはじめて脳波を計らせてもらうことができたそうです。まさに女性の粘り強さですね。

　そこで、わかったことは、ケチャのお面のなかには鈴が入っていて、頭を動かすと鈴が鳴る。その鈴の高周波音がトリガーになってトランス状態になるらしいということだったようです。

　それ以上の理由はわからないけれども、何か外的な条件があるとトランス状態になる。トランス状態になると、生まれてから教育などで身につけたもの以前の何かが出てくる。非科学的だと思いたくもなりますが、どうも、そういうことらしいです。

堀江――iPS細胞ではないですが、脳がデフォルト状態になってしまうのかもしれませんね。原始的な感覚といえば、ウミガメは太平洋のような巨大で何も目印がない海を泳いでいても、生まれたところに帰ってこれる。鮭もそうです。

佐治――ウナギもそうです。海のなかだから星も見えないはずなのに。

　そういえば、いま日本野鳥の会の名誉会長を務める俳優の柳生博[26]さんと、先日、新春対談をしたんですが、そのとき、渡り鳥が何もない暗い海の上を何千キロも渡ることができるのはどうしてだろう、という話になりました。地磁気という話

【26】**柳生博**　一九三七年、茨城県生まれ。俳優・タレント。剣豪・柳生一族の末裔として知られる。多くの映画・TVドラマに出演したほか声優・ナレーターとしても活躍。二〇〇四年四月から二〇一九年六月まで第五代日本野鳥の会会長を務め、現在は名誉会長。

もあるけれどよくわからない、すると、柳生さんがおっしゃった、「ひょっとしたら星を見ているんじゃないですか」って。ほんとうのことはわかりませんが、不思議ですね。余談になりますが、その対談でいちばんうれしかったことは、「渡り鳥には国境がないところがいいですね」と僕が言ったとき、柳生さんが「今日の対談のなかで一番の宝の言葉ですね」とおっしゃってくださったことでした。

生と時間

佐治――それと、原始的な筏に乗って、太平洋を横断した冒険家の話ですが、月も星も見えない真っ暗な海の中で、何か瞑想状態になると方位がわかるらしいですね。また、あるサーファーの証言では、大きな波のなかに巻きこまれて、一瞬、死ぬかもしれないという恐怖に包まれたとき、時間がとまったような感じになるとも言っていました。

堀江――平衡感覚が狂うんですかね。僕にもそういう体験があります。私の実家は千葉の九十九里なので、もちろん若いころはサーフィンをやってました。サーフィンで波に巻きこまれると上下がわからなくなる。しかもそこは何ら時間が経過しない空間なんです。がーっと浜に打ちあげられてはじめて「ああ、打ちあげられたんだな」とわかる。溺れるときも一瞬そういうことがあります。

佐治——時間がとまるのですか。逆にいえば、われわれが感じる時間は「生きている」という感覚と関係があるのかもしれませんね。生きているとは、時間をつくりだす営みだと言い換えることができるのでは……。

堀江——情報のインプットと時間は関係がありそうですね。まったく情報が来ないとき、時間は感じられるかどうか。

佐治——おもしろいですね。知覚がないとき時間はあるのか。

堀江——小さい子どもにとって一年間は長いといいますが、やはり受けとっている情報量が多いのではないでしょうか。

佐治——そうだと思います。同じ一年であっても五歳の子どもの一年間は人生の五分の一、六〇歳の人にとっては人生の六〇分の一です。速さに時間をかければ距離になるということは、時間は距離を速さで割ったものです。小さいころは情報量がたくさんあるわけですから、多少、乱暴な比喩ですが、情報量を距離におきかえて考えれば、時間の進み方はゆっくりになり、その一方で、歳をとると手に入れる情報は少なくなりますから、時間の経過を速く感じるということでしょうかね。

それにしても、大学入試のセンター試験の監督をするときの時間の流れはおそいですよね。（笑）。しかもすべてフォーマットが決まっていて、それ以外のことを言ってはいけない。「お疲れさま」なんて言おうものなら、すぐ減給処分になる。監督者にとっては、辛く退屈な時間ですが、受験生にとっては、あっというまの時間です。

ということは、情報量だけでなく仕事をこなす量やその速度にも関係しているように思います。何もすることがなくなれば時間がとまるのかどうか。

堀江――時間と情報については、ベルクソン[27]が書いていませんでしたか。過去の時間は情報で分割されてしまうが、未来の時間は切れ目なく持続する……。

佐治――古くはアリストテレス[28]が「運動学」のなかで、あるものごとが起こる後・先を決める物差しが時間であると言っていたと思います。とすれば、後・先を決められないくらい切迫した状況だと、知覚できないから時間はないのかもしれません。

僕も今から三十数年前に、一度、東名高速で大きな事故に巻き込まれたことが

【27】**ベルクソン**　アンリ・ベルクソン。一八五九―一九四一。フランスの哲学者。時間を分割可能なものと考えるのは空間化による誤謬であり、時間とは直観でとらえるしかない分割不能の純粋持続であるとした。過去と未来の違いについては、初期の主著『時間と自由』（邦訳、岩波文庫、白水社など）に詳しい。

【28】**アリストテレス**　前三八四―前三二二。古代ギリシアの哲学者。プラトンの弟子であったが、のちに道をわかつ。形而上学から自然学、倫理学、政治学、博物学、詩学など幅広い研究・考察を行い、万学の祖とも呼ばれる。マケドニアのアレクサンドロス大王の家庭教師でもあった。運動と時間については『自然学』の第三巻以降で論じられる。

あります。突如、反対車線から黒いものが飛んできた。ただただ、ブレーキを踏んだだけで、何が起こったのか、その前後の状況がしばらくつかめませんでしたね。本線上に停止して、思わず時計を見ると、夜の一〇時二三分。つぶれたボンネットから立ち上る冷却水の蒸気越しに、オリオンの星が輝いていて、次の瞬間、見たのは運転席のメーターに表示されている走行距離です。あと三万キロ走れば、月までの距離、三十八万キロ走破できたのに……という思いでした。後に、知人の医師にそのことを話したら「あなたの車は、永遠の旅にでたんですよ。もし、月まで着いていたら、もう一度、地球に戻るには三十八万キロ走らなきゃいけないでしょう。そりゃたいへんですよ」となぐさめてくれましたけれどね。大きな事故でしたが、事故に強いことで知られていた車に守られて、幸い大きなけがはなくて、ちょっと顔の一部を切ったくらいですみました。突っ込んできたのはひどい酔っ払い運転の車でした。今でも、事故現場の東名高速の一三・三キロポイントを通過するたびに思い出します。

　今、思い起こすと、衝突の瞬間のことはあまり記憶になくて、その直後からの情景は、何かスローモーションのような感じなんです。つまり、事故の瞬間には、一瞬時間がとまるんですね。

僕は先生の執刀で手術を受けたとき、全身麻酔でしたから、その前後のことを思い起こしながらあらためて時間とは何かを考えました。

堀江――手術の時間はあっというまにすぎていきましたか？

佐治――あのとき「いまから手術をします。全身麻酔です」といわれて、まわりを見渡すと、手術室は奇妙な薄緑色をして、ふと「なるほど、天国と地獄の色ってこういうものなのか」などと想像しているうちに、「熱くなってきましたか」と言われたところまでは覚えているのですが、それ以後のことは記憶にありません。そして、つぎに聞いた言葉は、「いまから病室に帰りますからね」でした。そのあいだの空白は何だったのかと不思議で仕方がありませんが、僕にとってはものすごく貴重な体験でした。時間とは何か、真剣に考えるきっかけになりました。ニュートン力学では絶対時間がありますが、日常世界の中でも、感覚として、アインシュタインのように、絶対時間を否定したくなってしまいます。

先生がさきほど言及されたエピジェネティクスで細胞が一定の方向に変化して不可逆と思われていたというお話も、絶対時間で見てそう思っているだけで、細胞の側から見たら違うのかもしれませんね。

アンチエイジングは可能である

堀江――遺伝子の変化があって、体の表現型の変化があります。人間の体は、二〇代、三〇代、六〇代と変わってきますね。典型的なのはしわが増えたりする、「老化現象」です。遺伝子のエピジェネティクスの変化は、ふつうは元に戻りませんが、体の表現型についてはどうもそうでもないらしい、つまり若返り、いわゆるアンチエイジングは可能かもしれないのです。四年前に衝撃的な研究が発表されました。若いネズミと年寄りのネズミのお腹の血管をくっつけて、シャム双生児[29]のようにします。パラビオーシスと言うのですが、二匹の体をまったく同じ血液が流れるようにしてやる。すると、高齢のネズミの老化がかなり改善するんですね。例えば高齢のネズミは嗅覚が衰えるのですが、これが改善する、あるいは筋肉が再び増えてくるといった具合です。だからアンチエイジングはある程度可能ということになります。どうしてこういうことが起こるのか、世界中の医学者が血眼になって研究しています。まさに不老長寿につながるからですね。

　問題はそれをどういう方法で人間に適用するかということですが、一番プリミ

【29】**シャム双生児**　体が結合し、一部の器官を共有するかたちで生まれてくる一卵性双生児。結合双生児ともいう。シャム双生児という名称は、一九世紀中頃に見世物で有名になった結合双生児がシャム（現在のタイ）出身だったため。

ティヴなやりかたは「若い人の血液を体に入れたらいい」というわけで、乱暴な考えですが、アメリカには実際にそういうクリニックがあります。

ただしこの実験は、ほぼ同じ個体・同じ種の実験用のネズミで行ったのであって、人間とは違う部分も多いし、輸血すると免疫反応も起きますから、デメリットもあります。しかしエピジェネティクスは逆戻りできないとはいっても、変化する可能性はあるのです。

佐治——臓器と臓器をつなぐまではしなくても、誰とつきあうかによってアンチエイジングを行えるかもしれませんね。

堀江——おっしゃるとおりです。

佐治——堀江先生が男性医学でおっしゃっておられたように、つきあう相手によって年をとらないこともありうる。

堀江——ありえます。文化的な意味でのアンチエイジングの秘密が生物学的に解けた……とまでは言いませんが（笑）、現象論ではありうることがわかったのです。

佐治——それはおどろきです。

堀江——ぼくはクォークが三個ということ、三個と決まっているというのが驚きでした。不確定原理ではないですが、一かもしれないし、ゼロかもしれないというのではない。三と決まっている。

佐治――クォークという名前は、実は、ジェイムズ・ジョイス【30】の『フィネガンズ・ウェイク』のなかで、カラスが「クォーク」「クォーク」「クォーク」と三声鳴いたという話からつけられたのです。理論物理学者という存在にはどこか素っ頓狂なところがあるんですね。

堀江――素粒子を構成するのはカラスの鳴き声なんですね（笑）。

【30】**ジェイムズ・ジョイス**　一八八二―一九四一。アイルランド出身の小説家・詩人。意識の流れ、内的独白、造語、だじゃれ、パロディなどを駆使し、言語表現の限界を試すような難解で実験的作風で知られる。代表作に『フィネガンズ・ウェイク』『ユリシーズ』など。

医学の盲点

堀江――揺らぎのお話で出てきたフーリエ変換やトポロジーは数学や物理学の教育のなかでは相当うしろのほうでないと習いませんが、それらの基礎が確立したのはもう二〇〇年くらいも前の話です。しかし医学の場合、染色体やＤＮＡがわかったのは、せいぜいここ六〇年くらいにすぎないのです。僕は医学者も、もっと数学や物理学を勉強したほうがいいと思っています。

佐治――さきほどのパラビオーシスもそうですが、臓器同士がどう関係しているかといったことにも、ある程度数学的な手法が使えるような気がしますね。

昔の自動車はバッテリーがすぐあがりました。そのときバッテリーが悪いのかダイナモ（発電機）がおかしいのか、いじってみる。ダイナモの外についていて、発電量をオン・オフするレギュレーターという装置だけが実は悪かったのに、僕はそれがわからず、バッテリーに罪を着せてしまった経験があるのです。

同じように、臓器同士がつながりあっている全体の系統図のようなものがわかれば、病気の診断なども改善するのではないでしょうか。先生がおっしゃったように、臓器連関も二個の臓器の場合はわかってきたという。物理では二体問題は解けるが三体問題は解けないから摂動を使った。臓器の場合も何か摂動に相当するものが見つかればうまくいくかもしれませんね。

堀江――医学の場合は、一番生命維持に問題のあるところを考えるわけです。優先順位としても病因論としてもそうなります。しかし本当の問題はそこでないこともある。

たとえば壊血病です。ビタミンＣの不足で起こり、最終的に心不全になったりする。脚気もビタミンＢ１不足が原因でやはり心不全が起きます。そういう病気は心臓の病気として扱われたり、ホルモンの病気だと思われたりしがちですが、実は腸からの吸収、栄養失調なのです。生命維持との関係を重視するあまり、それがわかるまでに相当の時間がかかってしまった。

πの不思議

堀江——いま遺伝情報といろんな病気の関係を、血中のタンパク質など血液の成分の分布を解析することで解明できないかと、ＡＩを導入したりして研究していますが、この場合は関連が見つかったとしても、メカニズムがわからないんです。そこがまだ貧弱ですね。

佐治——物理でも関連はわかるがメカニズムはわからないことはたくさんあります。数学でもπが３・１４……であることはわかるけれど、なぜ３・１４……でなければいけないのかはわからない。

堀江——楕円の場合はどうなるのでしたか。

佐治——楕円の周長もπを使って解けます。πはいま三十一兆桁くらいまで計算できていますが、そのさきの桁は誰にもわからない。ということは、πは本当に乱数ではないかと思われる。たとえば、一〇万桁まで出してみると、０から９まで出てくる頻度がほぼ一万回ずつで、乱数に近いんです。

堀江――まったく何の規則性もないわけですね。

佐治――そうなんです。だからπの中にはどんな数列もある。僕の誕生日は一九三五年一月三一日ですが、その数字を並べた１９３５０１３１が何桁目にあるか、すぐに計算できる。僕の教え子のお子さんが結婚したとき、新郎新婦の生年月日が何桁目にあるかを探しだして、そこに素数がどう絡んでいるかを調べてプレゼントしたこともあります。

つまりπのなかにはすべてが入っている。ボイジャー[31]に乗せたバッハの音楽も、音符や休符などにすべて数字をあてはめてやれば、たとえばドの音は１、ミの音は３、ソの音は５というふうに音符を数字にしてやれば、その数字の列もπのなかにあるのです。私たちのパーソナルデータもすべてπのなかにある。なぜそうなのかはわからない。

堀江――π以外の数の場合でそういうものはないのですか。

佐治――あります。それがeです。ネイピア数といいます。

堀江――自然対数の底というやつですね。

佐治――「$e^{i\pi}=-1$」（オイラーの定理）ですが、数学的に証明できるとはいえ、

【31】**ボイジャー**　一九七七年にアメリカ航空宇宙局（ＮＡＳＡ）によって打ちあげられた二機の惑星探査機の名前。ボイジャー一号は木星、土星とそれらの衛星を、ボイジャー二号は天王星、海王星とそれらの衛星を観測したあと、太陽系を離れ、現在も飛びつづけている。両探査機には「地球の音」という金メッキされたレコードが搭載されており、五五の言語による挨拶や、さまざまな地球の情報、音や音楽が収録され、そのなかにはバッハの『平均律クラヴィーア曲集』のプレリュードとフーガも収められている。

なぜこうなっているのかは誰にもわからない。このように規則はわかるが、なぜだかわからないものがたくさんあります。でも「eのiπ乗がマイナス1」というのは実にきれいな式だと思います。

堀江——「$e^{i\pi}=-1$」ということは「$i\pi = log - 1$」ということか……。

佐治——音楽だけではありません。文学についても、たとえばπのなかにはすべての小説が入っています。シェイクスピアの『ハムレット』に出てくるAからZまでのアルファベットやスペースをすべて数字にすると、どんな文学作品も数列にすることができますから、πのなかにぜんぶ入っている。そのπとはいったい何か？

　ＮＡＳＡで太陽系外惑星探査機「ボイジャー」を打ちあげるとき、πのどの桁までの正確さが必要かという話になったとき、少なくともπの小数点以下一五桁までにまちがいがあったら、探査機を送り出すことはできないということになりました。具体的にいえば、3.141592653589793です。でも「πって何か？」と聞かれてもその本質は誰にもわからない。

堀江——最初にπを発見したのはどこなんですか？　アラビア？　エジプト？

佐治——どのくらい数値が近ければπといえるかという問題はありますが、最初に計算したのは古代ギリシアのアルキメデス【32】でしょうか。正多角形で計算したのです。円に内接する多角形と外接する多角形の辺の長さを計算して、四角形、六角形、十二角形、二十四角形……と、辺を多くして近似していくわけですね。

堀江――どのくらいまで近づいたのでしょう。

佐治――正九十六角形まで計算したといいますから、三・一四……くらいまで迫りました。

πはそういうものであるにもかかわらず、むずかしいからといって小学校でπを3【33】として計算させたりするのは無茶苦茶です。

堀江――大馬鹿者ですね。

佐治――それでは円ではなくなってしまう。正六角形になってしまう。

堀江――もう改められたんでしたっけ。

佐治――もちろんです。

似たような話で、数学からは離れますが、理科の全国学力テストのとき、「宇宙飛行士が月に行って、ものを持ったとき、重く感じるか、軽く感じるか」という問題がありました。文科省の意図としては、「月の引力は地球の六分の一だから軽く感じる」と答えてほしかった。しかし月まで行くまでのあいだ、宇宙船の

【32】**アルキメデス**　前二八七頃―前二一二。古代ギリシアの物理学者・数学者・発明家。風呂に入ったときにあふれた水を見てアルキメデスの原理を思いついた故事は有名。また第二次ポエニ戦争でローマが彼の住むシラクサを攻撃したとき、彼の発明したさまざまな兵器がローマ軍を大いに苦しめたという。彼の家に踏みこんできたローマ兵によって殺害された。

【33】**小学校でπを3**　一九八九年の学習指導要領において「目的に応じて3を用いて処理」とされ、一九九八年の改定時にも引き継がれたもの。二〇〇三年の中教審で学力重視路線が打ちだされ、二〇〇八年の新学習指導要領で完全に撤廃された。

なかはほとんど無重力状態なので重さがない。月に行ったら重さがある。だから重く感じた、という解答があったらしいのです。それをぜんぶペケにした。これもおかしい話です。

堀江――教育のむずかしいところですね。

佐治――教育のむずかしさのひとつには、現場を知らない人が指導要領などをつくるところにもあるのでしょうね。

人間は宇宙で進化するか

堀江――そういえば、はやぶさ2[34]が小惑星リュウグウから岩石のサンプルを採取しましたよね。そういうサンプルのなかには、地球にない元素がある可能性はあるのでしょうか。

佐治――なくはないです。「星間物質」のなかには地上にないものもたくさんあります。たとえば炭化水素の仲間には、メタン、エタン、エチレンなどいろいろありますが、星間物質には一個の炭素に水素が十何個ついてるとか、ありえないものがたくさん観測されています。

【34】**はやぶさ2**　さまざまな困難に直面しながら小惑星イトカワへ赴き、その表面のサンプルを採取して帰還した小惑星探査機はやぶさの後継機。二〇一四年に打ちあげられ、二〇一八年に小惑星リュウグウに到着して、ローバーによる探査やサンプル採取などを実行。二〇一九年末には帰路につき、二〇二〇年末に帰還予定。

堀江――そうなんですか。

佐治――それらは星のなかの核融合反応でつくられたもので、もともとは自然界にたくさんあったんですが、地球のような環境では非常に不安定なので、水とかそういうものと化合して、安定したメタンとかエタンとかアンモニアとかになってしまったのでしょうね。

ですから星の内部についていえば、まったく未知の物質が発見される可能性はあんまりないんじゃないかな。しかし星間物質には可能性がたくさんあります。というのも放射線がものすごく強いので、原子たちがいかようにでも壊れたりくっついたりするんです。だから突然変異を起こして新しいものがいろいろできる可能性はある。

堀江――(リュウグウは火星と金星のあいだに軌道がある小惑星ですが、)小惑星のほうが大きい天体よりも研究の対象としていいことはあるんでしょうか。

佐治――まず大きい天体だと重力が強いので、飛び立つのがたいへんですよね。もちろん重力が弱ければ弱いで厄介です。ちょっとした力の入れぐあいで、あたりのものがぶわっと舞いあがってしまいます。

でも、はやぶさのサンプル採取は、ちょっと信じられない技術ですね。小惑星まで行って、弾丸を発射して、クレーターまでつくってサンプルをとる。サンプルを持って帰れたとしたら大成果です。こんなことができるのなら、医学でも凄いことができるんじゃないかと思ってしまう。無重力状態で手術をするとか、無重力だとがんの増殖を抑えられるとか、何かあるかもしれない。宇宙で繁殖させると遺伝子や細胞がどうなるか。かつて、メダカでの実験はありましたが……。

堀江――強烈な紫外線に当たったらどうなるんでしょうね。

佐治――そうですね。それに紫外線以外の放射線、粒子線もあります。電子や陽子なんかもどんどん飛んでくる。強いガンマ線もありますね。

　ということは、もし人間が宇宙で暮らすようになったら、これまでの人間であることを一度やめなくてはならないのではないかと思います。僕たちはずっと重力の上で生きてきましたから、重力がないとどうなるのかわからない。生殖についても、うまく受精卵が育つのかどうか。そういう実験もネズミなどで行われているようですが、とりあえず生存はできるみたいですね。そこから宇宙での治療なども出てくるかもしれない。心臓のポンプはかなり重力に抗してがんばっているから、無重力だと心臓が血液を送る力がそんなに強くなくてもいいかもしれない。

堀江――それはあるでしょうね。一方、筋肉は急激に落ちてしまいます。負荷がかかりませんから。

佐治――宇宙から帰ってきた人は、自分の足で立ちあがるのがたいへんだと言っていました。地球に帰還したばかりの宇宙飛行士は、両脇から支えてもらっていた。そこまでして人間は宇宙に出ていかなきゃいけないのかという話にもなりますが。

響きあう宇宙と東洋思想

佐治――この世界の構造について現代物理学が分子から原子、さらにクォークへとさかのぼっていったとき、乱暴な言い方をすれば、東洋的な考え方に近い世界像が見えてきたといいたくなるような成果がありますね。

一九六〇年代の中頃に「ニューサイエンス」と呼ばれるものが登場します。素粒子の研究をしていた理論物理学者のフリッチョフ・カプラが *The Tao of Physics*（『タオ自然学』）という本を書きました。彼はタオイズムなどを例にとって素粒子を考えた。

とてもおもしろい考え方で、たとえばいろんな粒子があるのを一本の弦の振動にたとえて、こういう振動モードがあるとすれば、その次に許される振動モードはこうなる、と考えていく。音響学でいえば、いわゆる倍音の考え方です。物理でいえば、両端が固定されているときの固有値問題になる。あるいはこの振動は完全五度で、ドの音に対してのソの音になる。するとそれは協和音になる、そんなふうに音楽的に、場の振動によってすべての粒子が生まれると考えるんですね。

堀江――なるほど。

佐治――真空のなかに波が立つといった表現も可能になります。つまり、真空とは、何もない「からっぽ」ではなくて、なにかがぎっしりつまった状態だと考えて、そこに、ある種の波が立つというのですね。まるで、インド哲学にでてくる「空」の概念ですね。そう考えることによって、ひも理論であれ、膜理論であれ、進展してきた。東洋的とまでいえるかどうかはわかりませんが、東洋的思想と似てはいます。東洋哲学に「陰陽五行説」がありますが、素粒子を五つにわけるといった方向で分類すると非常におもしろい。また、クオークがもっている電気の量や、そのほかの属性などをまとめて素粒子の構成を図示すると、ぜんぶで八種類の方向性が見えてくる。それは仏教でいう「八正道」に近い世界観です。

まあ、これはたまたまでしょうが（笑）、東洋的な思想は物理学に有用に働いていると思います。特に晩年の湯川秀樹先生などは東洋思想にかなり傾倒しておられたようです。

堀江――西洋は分析的で、しかも一神教ですから、「俺が、俺が」とまではいいませんが、あまり調和的な考えはないようですね。

佐治――あまりないですね。それに、分析そのものにも問題があるのです。

分析するには、ある種の力を加えないといけません。しかし力を加えるとは、相対性理論によれば、エネルギーを使うということですから、そこから新しい物質を生みだすことになってしまって、堂々めぐりになる。細かいことを知ろうとすればするほど、新しいものをどんどん生みだしてしまい、収拾がつかなくなってしまう。これはジレンマです。

昔は元素の周期律表は九二個の元素ですみました。現代では素粒子が六〇〇とか七〇〇ぐらいある。素粒子の周期律表をつくらないとわからない。研究の方向としてそれでいいのかどうか、どうでしょうね。むしろ目には見えないけれど、場の振動から考えたほうが、すっきりわかるような気もするんですけれど。

堀江――うろおぼえですけれど、何かの実験の記事で、周期律表のなかのある粒子を発見したという発表に対して、ある科学者が「それは『発見した』というよりも『つくった』と言うべきではないか」というコメントを寄せていたのですが、やはり「発見」じゃなくて「つくった」が正しいんでしょうかね。

佐治――そうですね。見つかったといえなくもないけれど、高エネルギー粒子をターゲットに衝突させることで生み出したということですからね。しかもその粒子は、存在可能だけれど、とても不安定なので、自然界には存在しえない。生まれても、ガンマ線などをぱっと出して、何千分の一秒かで消えてしまう。その意味では「つくった」というほうが正しいかと思います。

科学は越境する

佐治――また、科学のおもしろいところは、基礎研究が、いつのまにか応用研究になって、実用化されるといった変貌を含むことですね。それは、一方では危うさでもあって、原爆など、そのいい例です。

いま医療現場で使われているＭＲＩは、昭和三三年とか三四年ごろに、私が東大の物性研究所で、原子の中の状態を調べるのに、原子核を使って間接的に観測するのに使っていたものとまったく同じ原理です。磁気共鳴分析ですね。超音波診断だって、電波天文学がはじまったころ、東京天文台で、星からやってくる電波を分析するのに、開発した方法が基礎になっています。当時、私が関わりをもっていた松下電器傘下の研究所がいい成果を挙げていましたね。

最初は、医療目的ではなかった純粋の基礎研究のための装置として開発されたものが、時を経て、いつのまにか、ものすごい医療技術に発展した。そこに基礎研究の奥深いすばらしさがあります。つまり、その技術をどう使うかは、結局、使う人自身の倫理とか考え方、あるいは人生観みたいなものに落ちついてくるのかもしれませんね。

僕が実際に、はじめて、ＭＲＩ診断を受けたときには、大いに感動しましたよ。技師の方に「何を使ってるんですか。水素のマグネティック・モーメントの振動数ですか。それともフッ素ですか」なんてことを訊いたら、技師の人が「え？」って呆気にとられたような顔をしていましたけれど、僕としては、実験室でやっていたことが医療の現場で実用化されていることに、一種の感動をおぼえたんですね。

堀江――逆にいえば、病気になると人間の体は、ＭＲＩでも超音波診断でも、違う画像、違う信号を出してくるんですね。人間ってやはり原子からできてるんだ、って実感できます。

佐治——そうですね。そういえば、最近ブラックホールの映像が撮れたというニュースがありました。でもあれは、ブラックホールそのものの映像が撮れたんじゃなくて、ここからなかにブラックホールがありますよという境界領域の写真が撮れたということですね。あの撮像技術もＭＲＩの技術そのもので、地球規模の大きさに電波望遠鏡を配置して、それぞれの望遠鏡で得られたデータをマッピング合成して像をつくったのですから、ＭＲＩ方式そのものなんですね。

堀江——ブラックホールそのものを撮るのは無理なんですね。

佐治——そうですね。ブラックホールはすべての情報を遮断している状態ですから、そこからの信号を直接キャッチすることはできません。

堀江——ブラックホールというと、やはり「ホール」だと思ってしまいます（笑）。

佐治——「穴」ということですか。

堀江——どこかに通じているんですかね。

佐治——専門的になりますけれど、時間と空間がその時点で反転すればいいんで

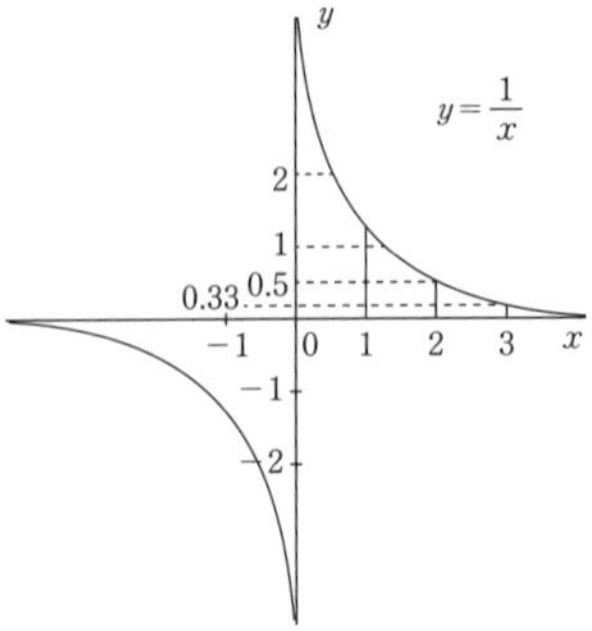

$y=\frac{1}{x}$ のグラフ

す。ブラックホールはホワイトホールに通じると考えればいい。

ブラックに対してホワイトというのはどういうことか、たとえば、直感的には、xy座標の二次元で考えてみます。簡単に$y=\frac{1}{x}$というグラフを書いてみましょうか(上図)。xがプラスの方から限りなく0に近づくと、yは無限大に発散します。逆にマイナスの方から0に近づくと、マイナス無限大に発散します。では、この$x=0$っていう場所とは、いったい何なのでしょうか。ここには確定した値がなくて、「特異点」とよばれる場所なのですが、これがブラックホールだと考えたらどうでしょう。xがプラスの領域からマイナスの領域を強引にまたいだとすると、まったく違った世界に足をふみいれることになります。しかし、足を踏み入れた後は、通常の世界の顔をした振る舞いをします。これをブラックホールを経由してホワイトホールにでたところの景色だと想像しても感覚的にはかまわないと思います。ただ、最初にお話したように、これはあくまで物理学者のかなり強引な想像であって、数学者には通用しないかもしれませんけれどね。それに加えていえば、一次元の世界での出来事は、ある空間の場所に、ある瞬間に起こるわけですから、空間と時間を、それぞれ x y 座標面の一点（x、t）で示すことができます。ここで t は時間ですが、これを空間座標と同等にするには、速度を c として ct にすれば距離になりますから同等になります。そこで、ピタゴラスの定理を使えば、ある出来事が起こった場所 x と時間を含む出来事の位置 r は、原点からみて、$r^2 = x^2 + (ct)^2$ になります。ところが現実問題としては、$x = ct$、すなわち $x^2 = (ct)^2$ ですから、この式は成立しません。そこで、時間 t に虚数 i をかけた虚数時間 it を導入すれば、めでたく $r^2 = x^2 + (ict)^2$ になります。虚数 i とは、二乗するとマイナス1になる数だからです。あるいは、虚数の二乗はマイナス1になるということから、時間が逆転してしまって、空間と入れ替わってしまうと考えることもできなくはありません。そうすると、ブラックホールの向こう側にはホワイトホールがあって、時間と空間が反対の世界もある、ということにもなります。

堀江——ブラックホールを抜けたら、時間と空間が逆さまになっちゃうんですか。

佐治——そうですね。逆転していないと論理的整合性がくずれてしまいます。

堀江――そういう世界があるのですか?

佐治――ないという証明はできません。否定するのはたいへんなんですね。肯定はできるけれど、否定するためには世界中探しまわって、ありませんでしたと言わないかぎり言えない。

堀江――なるほど。

佐治――ただ、そういう意味では、単に数学だけの話だともいえますね。

堀江――虚数を定義づけた人がいるんでしょうね。

佐治――そうですね、オイラー【35】とか。

堀江――ああ、オイラー。

佐治――それからヒルベルト先生が言っていることですが、結局、数学のおもしろさは、現実の問題を解くことではなくて、人間とはまったく離れたところにある抽象概念にあって、なおかつ、その条件としては矛盾がないことだ、と。矛盾がなければ、どんなことでも自由に考えてもよい、というのが数学なんです。

そういった意味では、数学は最も自由な学問なんですね。最初は自然数からはじまって、1、2、3と数えるんだけれど、たとえば金魚をすくっていて、もう一匹もいなくなったとか、金魚すくいの紙が破れてしまってすくえないというと

【35】**オイラー**　レオンハルト・オイラー。一七〇七―一七八三。スイス生まれの数学者。ロシアやドイツで活躍。数論、解析学、幾何学、力学など多彩な分野で業績をあげたため、オイラーの定理、オイラーの多面体定理、オイラーの運動方程式など、その名を冠した定理や公式は数多い。本文にも登場した $e^{i\pi}=-1$ を証明したのもオイラーである。

き、「すくえなかった」と言うのではなくて、「0匹すくった」にいうふうに、0を加える。今度は何匹足りないのかというとき、マイナスの数として加えていく。そんなふうに、「数」をどんどん発明して領域を広げていったわけです。さらに分数も発明された。大昔、分数を知らない人はたぶん、一個のケーキを三人でわけることなんてできなかったでしょうね。分数っていう考え方があるからできる。しかし三分の一なんていう数がどこにあるのか。どこを探してもない。数字はどこを探しても見えない。抽象概念です。

堀江――そうですね。

佐治――だからヒルベルト大先生にとっては、数学は日常生活とはまったく関係なくて、論理性だけを持った抽象概念でよろしいということになるんです。

ブラックホールなんかもそういう抽象概念というか理論上の存在にすぎないと思われていたのが、どうも実際にあるらしいとわかってきたのは、アインシュタインの天才が時間と空間を一緒にして、時間と空間を対等に扱うためのリーマン幾何学を使ったということにあると思います。

数学という音楽

堀江――数学の世界というのは、論理で構築されたひとつの宇宙ですよね。それでは、数学ではないけれども数学のような世界って、何かないですかね。

佐治――数学のかたちをとっていないけれども、ということですか。

堀江――ええ。まったく抽象的な想像ではあるけども、実体的なものにも部分部分では即している世界です。

佐治――僕は、音楽がそのひとつではないかと思います。

堀江――音楽！

佐治――はい。「音楽とは情緒の数学であり、数学とは論理の音楽である」なんて言ってみたくなりますね。

堀江――「論理の音楽」。

佐治――ジュウシマツという小鳥の鳴き声の研究がありまして、鳴き声を分析してみると、八つの言葉の音素が入っていて、それらをうまく組みあわせることで、ジュウシマツは会話をしているという研究があります。それと同じようなことが、音楽の楽曲分析をすると見えてくるんですね。

ソナタ形式を例にとれば、ひとつのユニットとなる主題があって、それが第一変奏、第二変奏と展開して、また最後に再びでてきて終わる。かたちとして数学で物事を考えるときの論理構造にそっくりだというのは言いすぎですが、数学的な世界とよく似ていると感じます。

それと、いい音楽には、この音は必ずなければならないというものがあります。他の音は抜いてもいいけれど、この音は抜けないという音がある。その音を見通せるか、見通せないかの分かれ目が、プロかアマチュアの分かれ目だと思いますね、すぐれた音楽作品を聴いてみても、知人の作曲家とお話をさせていただいていると、いつもそう感じます。そこにはやはり数学的な構造があります。

具体的にいうと、日本のシューベルトと評されている中田喜直先生[36]とは、たびたびお話する機会に恵まれました。中田先生は決して数学がお好きだという方ではないんですが、音楽のつくり方は、僕から見ると、ものすごく数学的ですね。

堀江――数学と音楽なんて普通は正反対のものに思えますよね。

佐治――ただ、具体的な表現法が、音楽と数学とでは違っているだけだということでしょうね。数学と違って計算するわけではありませんが、考え方の起承転結

【36】**中田喜直**　一九二三―二〇〇〇。作曲家。東京音楽学校ピアノ科を卒業後、宇都宮陸軍飛行学校に入校、パイロットとして東南アジアに赴き、終戦を迎えた。戦後、作曲活動をはじめ、「夏のおもいで」「雪の降るまちで」などを発表。フェリス女学院短期大学の教授も務めた。生涯に三〇〇〇曲近く作曲したといわれる。

がとても数学的だという感じがします。いや、逆に言うと、すべて計算して結論を割りだすのが数学だと思われがちですが、それは誤解で、それは数学の一部ではあるけれども、数学のすべてではない、という気もします。

堀江――そういえば、このあいだ先生が出演された金子みすゞ【37】と音楽の組みあわせのイベントもすばらしかった。でも、僕の勝手な思いこみですけれど、金子みすゞさんって、詩が長調じゃなくて短調なイメージがあるんです。破調っていうんですかね。

佐治――やはり彼女の人生が反映しているのかもしれません。だからといって、彼女が非常に薄幸の女性であったことを前面に出してドラマにしてしまったら、おしまいです。だから僕の役割は、彼女を単なるかわいそうな生涯を終えた天才詩人だ、ああ気の毒な女性だった、としないことなんです。もっと乾いた目で見る。科学の目で見る。そういうことも必要だと思います。とても深くものごとを見通す姿勢は、まるで科学者を思わせますね。

堀江――「かわいそうな女性でした Q.E.D.【38】」ではたしかにどうにもなりませんね。

【37】**金子みすゞ** 本名・金子テル。一九〇三―一九三〇。詩人。三歳で母をなくした。十代半ばから詩作をはじめ、二十歳頃から雑誌投稿も行い、西條八十から絶賛された。二三歳で結婚するが、夫の放蕩に苦しみ、また詩作も禁止された。離婚後、娘の親権をめぐる諍いの最中に自殺。代表作に「大漁」「星とたんぽぽ」など。

【38】**Q.E.D.** 「Quod Erat Demonstrandum」というラテン語の略で、「このように示された」の意味。証明の最後に書かれる。

能と虚数

佐治――それから数学のかたちをとっていない数学のようなものというと、能なども そんな気がします。

堀江――能ですか。

佐治――能の場合は必ず、生きている世界と死んだ世界をつなぎます。そして、橋掛かりの向こうは現世とは異なる謎の世界。しかも四角い舞台であって、それを右に曲がるか左に曲がるかによって、時間も超越してしまうのです。

　これも数学的といえば数学的ですね。回転するだけでまったく違う世界に連れていかれるというのは虚数を思いださせます。iをかけるということは、九〇度回転することですから。

堀江――そういわれればそうですね。

佐治――もう一回iをかけてiの二乗だとマイナス1なので、プラスの世界がマイナスの世界になる。iの二乗で反対向き、iの四乗で一回転。数学的に見ると能の舞台構成もおもしろいし、まさにソナタ形式のように感じます。

堀江――能も最初は、田楽能のように、田植えや収穫祭の行事を励ます舞踏のようなものだったのが、どうしてあのような記号論的変化をしたのでしょうか。

佐治――世阿弥【39】の時代ならではの背景があるかもしれません。殺伐とした武士の世ですし、そんな社会で心を落ちつける何かが必要だったのかもしれない。仏教の考えかたも浸透して、「空」の思想や禅の思想もあったでしょう。同時にあのころには何か形式を重んじる雰囲気もあって、茶道とか能とかが生まれてきたように感じます。

たとえば世阿弥が書いた『風姿花伝』の第七「別紙口伝」にあるように、物事に秘められた真理は、そのまま具体的に見えたり聞こえたりしてはいけない。本当の花とは何か。外に出してしまったら、それは花にならない。

堀江――小林秀雄【40】も『風姿花伝』を引きあいに出して言っていましたね。「美しい「花」がある。「花」の美しさという様なものはない」（「当麻」『モオツァルト・無常ということ』新潮文庫、所収）。

佐治――そうですね。「秘すれば花なり。秘さずば花なるべからず。この分け目を知ること、肝要の花なり」。世阿弥のいう花とは、ひとつの芸の極致です。「初心忘るべからず」（『花鏡』奥段）というのも、最初の決心を忘れるなというので

【39】**世阿弥**　一三六三頃―一四四三頃。室町時代初期の猿楽師で、観世流の祖。三代将軍・足利義満に後援されて夢幻能を確立するが、六代将軍・義教の時代には弾圧され、ついには佐渡に流される。死については詳細不明。数多くの作品を残し、また著作『風姿花伝』に能の奥義を説いた。

【40】**小林秀雄**　一九〇二―一九八三。文芸評論家。東京帝国大学仏蘭西文学科卒業。日本の近代批評を確立。また文芸にとどまらず、古典芸能、芸術、歴史も対象に批評を展開した。代表作に「無常といふこと」「モオツアルト」「ゴッホの手紙」「考へるヒント」など多数。

はなくて、最初の未熟なときを忘れるなという意味なんだそうです。

この「初心」について世阿弥は『風姿花伝』（第一「年来稽古条々」）で、「さればは時分の花をまことの花と知る心が真実の花になほ遠ざかる心なり。ただ人ごとにこの時分の花に迷ひてやがて花の失するをも知らず。初心と申すはこの比の事なり」と言っていますよね。「時分の花」。若いときは華やいでいるが、それを花だと思うな、と言うのですね。枯れていくものでしか出せない花もあるだろう、と。

堀江――独特の宇宙観のようなものがありますね。初心というのも、最初の意欲とか意気ごみを言っているのではなく、情報がたくさん無条件に入ってくる状況でしょうね。

佐治――そうですね。まだ整理もつかず、まごついているような状況でしょう。

堀江――混沌といいますか。でも、それがきっと大事なんでしょうね。

佐治――そうですね。混沌のなかからどう整理していくか。勉強も同じかもしれません。ドクターもいろんな状況に出会いながら、「人間とは何か」「健康とは何か」という課題を極めていかれるのでしょうね。

混沌の美

堀江――『荘子』[41]におもしろい話があります。人間の顔には七つの穴があって、それで見たり聞いたり息をしたり物を食べたりしているのに、混沌には何もないから、それらの穴を開けてあげたら、混沌は死んでしまったという話（『荘子』内篇・応帝王第七）。僕はこの話が好きなんですが、混沌を整理したらダメなのかもしれません。

佐治――たしかに考えさせられる話です。

堀江――一方で、老子[42]のタオ（道）は何だか説教臭い気がするんです。

佐治――タオイズム（道教）ですね。荘子とはちょっと考え方が違うかな。老子のほうはたしかにちょっと説教くさい。

堀江――もちろん老子にも「無為自然」といった、自然に生きることをよしとする思想とか、日本人の好きなものがたくさんありますけれど。

佐治――荘子といえば、「天地の美に基き万物の理に達する」（『荘子』外篇・知北遊第二十二）という言葉を思いだします。湯川秀樹先生がノーベル物理学賞を

【41】『**荘子**』　中国の戦国時代の宋の思想家で、道教の祖のひとり荘周（荘子、前三六九頃‐前二八六頃）の主著とされる。具体性に富むさまざまな寓話と逆説を駆使して、万物の流転を説き、俗世の価値を相対化。人間の知の限界を知り、あるがままを受け入れ、自由の世界を逍遥することを説く。

【42】**老子**　中国の春秋時代の楚の思想家で、道教の祖。孔子（前五五一‐前四七九）とほぼ同時代人とされるが、生没年不詳。本名も不明（一説に李耳）。主著とされるのは『老子』、別名『道徳経』で、きわめて短いものだが、固有名詞はまったく登場せず、抽象的な逆説の論理とアフォリスティックな短文を連ねて、価値の相対性や万物流転、無為自然を説く。

受賞されたときの祝賀会のお返しの風呂敷に、その言葉が漢文とフランス語で書いてあったようです。天地の美から万物の理に至るというのですから、理が働くところは結局美だということなんですね。

堀江――それはおもしろいですね。昭和天皇が手術を受けたときの話ですが、昭和天皇はかなり重い膵臓がんで、開腹してがんの一部は診断のための標本としてとったけれども、がんそのものをとることはせずに、バイパス手術をしたんです。

　そのあと報道陣がどっと押しかけて、「陛下の病状はどうなんだ」「がんなのかどうなのか」と騒ぎたてたとき、病理医は何も言わず、記者相手に一枚の紙をすっとさしだした。そこには「その標本は非常に美しいものであった」とフランス語で書いてあった。そういう禅問答みたいな話があります。

佐治――それは知りませんでした。

堀江――記者たちは何もわからないから、「美しいというのだから良性なんだろう」という即物的な判断をしたらしいのですが、病理医の言いたかったことは要するに、それは混沌だったんだ、ということではなかったかと思うんです。混沌を思わせるような力強い腫瘍の姿に、病理医はひとつの美を感じたのかもしれない。窮屈ではない、のびのびとした姿というか、病気の定義でいえば悪性だけれども、個々の細胞は混沌のなかで元気に生きている。

佐治――ああ、凄い話ですね。

堀江――いまだに報道されていない話ですけれどね。要するに、聞いた人もほとんどみんなわからなかった。

佐治――それはわからないでしょう。

堀江――でも本当にわかる人は、「ああ、これは悪性と言ってるんだな」とわかった。ただし「悪」とか「良」というのでない判断であり、表現方法だった。人間にとっては悪かもしれませんが、ひとつの生命体がそこで一生懸命夏草のように茂っている混沌を美としたのです。

　それと対照的だと僕が思うものに、三島由紀夫[43]の『豊饒の海』という（輪廻転生をテーマにした）小説があります。ラストシーン、物語を最初から見つづけてきた副主人公の本多が奈良のお寺に行くと、自分の経験したことがすべて夢かうつつかわからなくなってしまう。本多はお寺の庭を見ながら、ここには何もないと感じる。何もないのは美なのか何なのかわかりませんが、それで終わる。

佐治――数学的にいえば、何もないのは逆にすべてを生みだすもとだということなんでしょうね。何もないというのは、すべてがあるともいえる。いわゆる空虚

【43】三島由紀夫　一九二五―一九七〇。本名・平岡公威。小説家・劇作家・評論家。東大法学部卒業。緻密で人工的な構成と古語や漢語も交える豪奢な文体が特徴で、戦後文学を代表する作家。ノーベル賞候補にもなった。晩年は政治活動にのめりこみ、民間軍事組織「楯の会」を組織、一九七〇年十一月に、「楯の会」のメンバーとともに自衛隊市ヶ谷駐屯地に乱入して、バルコニーで決起を促す演説をしたのち割腹自殺を遂げた。代表作は小説に『仮面の告白』『金閣寺』『潮騒』、戯曲に『鹿鳴館』『サド侯爵夫人』『わが友ヒットラー』など。

ではなく、虚空、いいかえれば「空」ですね。

堀江――生みだす。そこからまた輪廻がスタートする。

佐治――そうです。そう考えたいですね。般若心経なんてまさにそうです。空というのは何もないということではなく、すべてを生みだすもとであって、他と区別できないから何もないように見えているだけで、すべてが入っているといった意味のようですね。

音楽家はむずかしい

堀江――そういえば、日本人はよくスズムシの音色をきれいと言いますが、西洋の人にとっては雑音としか聞こえないという話もありますね。これはＤＮＡの違いなのかな。

佐治――僕は生活環境ではないかと思います。ピアノの音とか音楽ですら、音楽をきっちり勉強した人と素人では、聞いている脳の部位が違うという話があります。プロの音楽家からいわせれば、素人の音楽愛好家がうらやましいとよくいわれます。同じ音楽でも、プロとアマチュアでは、聴くところが違うのでしょうね。

堀江――脳の違う部分を使ってる可能性があるんですね。

佐治――ある意味では、たとえば、作曲家には、確固とした信念みたいなものがあって、譲れないところをつねにもっているようですね。ある著名な作曲家の話ですが、以前、通勤電車のラッシュ時に、少しでも乗客の気分をやわらげようと、メンデルスゾーンのバイオリン・コンチェルトを流していたのだそうです。数十年前のことですから、当時は、ＣＤではなくて、カセットテープだったのでしょうね。繰り返し再生しているうちにテープが伸びてしまって、ふにゃふにゃの音楽になってしまった。それこそ、作曲者にとっても許せない冒涜だということで、車掌に苦情を言った。だからといって、車掌が勝手に音楽をとめるわけにもいかない。業を煮やして、終着駅に着いたときに車掌室のなかへ踏みこんで、テープを引きちぎってしまった、という話もあります。

堀江――そこまでやりましたか。

佐治――音楽家も数学者と同じように、天才的な人は何か違うのではないでしょうか。たとえていえば、中田喜直先生は生涯に五〇〇〇曲ぐらい作曲しているようですね。学校の校歌だけでも百何校もつくっていますから、やはり天才なんですね。

堀江――作曲家といえば小林亜星[44]さんも、コマーシャルソングだけで何千曲つくれるというのは、何かあるからでしょうね。

佐治――「夏の思い出」や「雪の降る街を」などでも広く知られる中田喜直先生は、今の東京藝術大学の前身、東京音楽学校ピアノ科のご出身ですが、ピアニストとしては手の大きさがやや小ぶりだというので、作曲に転じられたと聞いています。やはり天才だとしかいいようのない方でしたね。心にすみわたるような叙情性豊かな作品は、他に比類をみないほどで、とてもやさしい先生でしたが、譲れないものは譲れないという確固たる考えをお持ちだったようです。

　太平洋戦争当時、陸軍航空隊のパイロットだったこともあって、民間機の飛行ルートにも先生がお考えになる安全基準を満たさないことがあって、客室乗務員に強く抗議されたとか、着陸直前の機内で流される音楽をめぐって強い不満をもらされたなど、いろいろ逸話が残っているようです。パイロットとしての経験から、経済効率を優先する最短ルートの陸上飛行よりも、より安全な海上飛行をするべきだという信念、そして乗客の気持ちをやわらげるための音楽だと主張する航空会社に対して、音楽家としては、そんな安易な音楽乱用は許されないというお気持ちがあったのかもしれません。

【44】**小林亜星**　一九三二－。作曲家。慶應義塾大学経済学部卒業。CMソングやアニメなどテレビ番組の主題歌などを多く手がけた。俳優やタレント、歌手としても活動し、俳優としての代表作TVドラマ「寺内貫太郎一家」では頑固親父・寺内貫太郎を熱演した。

堀江――音楽のプロは、音楽をＢＧＭのように聞くことができないんでしょうね。
佐治――たぶん自然の音だったらいいのでしょうけれど。
堀江――たしかにＪＲの駅なんかで鳴るあの破滅的メロディーを不快に思う人は多いでしょう。山手線も各駅で鳴っている。
佐治――あの音楽は終止形にならず、途中でタタタタと終わるんです。聞いていると、とにかく肩透かしをくらってあたふたと早く乗らなきゃ、と焦ってしまう。そういう効果も狙っているのではないでしょうか
堀江――微妙な周波数の音を鳴らして、カラスがいつかないようにするのと同じですね（笑）。
佐治――たまに混んだ電車に乗ると、これで通勤するのは本当にたいへんだと思います。病院に行くとき混んだ電車に乗らざるをえないのですが、これを毎日、何十年もくりかえすのは、いまの僕にはとても無理です。外国の地下鉄だと、こういうアナウンスはありませんね。
堀江――ないですね。
佐治――ウィーンの地下鉄では、シュテファン寺院【45】の鐘がゴーンと鳴って、次は何々と駅名を言うだけです。

【45】**シュテファン寺院**　シュテファン大聖堂とも。ウィーン旧市街の中心部に立つゴシック様式の寺院で、ウィーン大司教区の司教座聖堂。一二世紀に建築がはじまり、一三五九年に壮麗な塔が完成した。ハプスブルク家歴代当主の墓所でもある。二〇〇一年にユネスコの世界遺産に登録された。

人間原理と他力本願

佐治——そういえば、人間のDNA配列を音に変換すると、おもしろい音楽になりますね。一九八〇年代だったと思いますが、論文を書いたことがあります。遺伝子を構成する四種類の塩基配列に特定の音をふりあてていくのです。たとえば、チミンには「ドの音」、シトシンには「レの音」というふうにふりわけるんですね。人間のインシュリンの中にあるベータ鎖遺伝子の配列からは、なんと、葬送行進曲で有名なショパンのピアノソナタ第二番の第二楽章になったという報告があります。アメリカのジョンズ・ホプキンス大学から、このようにしてつくった遺伝子の音楽がレコードになってリリースされていたようです。これは、音楽の旋律の揺らぎ方と遺伝子配列の揺らぎ方がとても似ているということを意味していますね。

堀江——遺伝子に隠れている暗号とか、何かインテリジェント・デザイン的なものを考えさせられます。バクテリオファージが宇宙人からのプレゼントではないかという話にも似ていて、たいへん不思議です。

佐治――バクテリオファージφx１７４ですね。

堀江――ええ。バクテリオファージもそもそもなぜ存在しているのかが不思議です。

佐治――バクテリオファージの塩基配列は、素数×素数の繰り返しですから、とても人為的に感じます。自然の偶然の中で起こるという確率はきわめて低いですね。

堀江――インテリジェント・デザインなんかを思い浮かべてしまうんですよね。

佐治――堀江先生は基本的に無宗教ですよね。僕も特定の宗教だけを信奉してはいないという意味で無宗教ですが、先生がインテリジェント・デザインという言葉をおっしゃったことにはとても共感を覚えます。

堀江――知識としては知っています。でも、煎じつめて考えていくと、そういうものを信じる気持ちもわかるんです。佐治先生が言われる宇宙とか数学について考えていると、その一番最初のところで「どうしてそうなるんだ」という疑問が残ってしまいます。現象としてはいろんなことがわかっても、そもそものダイナミズムはどこから来ているのか、という部分がわからない。

佐治――そこに気づくのは、あえて言えば「宗教性」なのではないでしょうか。

宗教と宗教性は違うものであって、宗教性は必要だと思います。よく言うことですが、何か危険に遭ってあやうく難を逃れたというとき、単に運がよかったと考えるか、目には見えない誰かがたすけてくれたと考えるかで、今後の生き方が違ってきます。それは具体的な宗教ではないけれども、宗教性というものでしょう。そういうところがないと、人間は生きられないのではないでしょうか。

堀江――そうですね、他力本願になりますよね。

佐治――数学でも何でも、ある限界以上の領域では、やはり他力本願になりますね。「なぜピタゴラスの原理が成り立つの？」と言われても、それは人間の世界と違うところで明らかに真理として存在している。

堀江――そう考えると、人間が生きていること自体不思議ですよ。そもそもなぜ生命が生まれたのか。別に生まれなくてもいいじゃないか。

佐治――その命題についてのひとつの答えとして、人間原理《アンソロピック・プリンシプル》というのがありますね。強い人間原理とか弱い人間原理とかいろいろあって、下手をすると、似而非科学になりかねない危険性もありますが、極端な言い方をすれば、宇宙自身は自分を見ることができないので、自分を見るための目として人類の知性を生みだしたという考え方です。これは物理学者のロバート・ディッケ【46】が、宇宙の年

【46】**ロバート・ディッケ** 一九一六―一九九七。アメリカの物理学者。宇宙背景放射の発見への貢献などで知られる。宇宙の年齢は長すぎず短すぎず、地球上の人間の存在が可能になる範囲でなければならないと主張し、のちにブランドン・カーターによって「弱い人間原理」と名づけられた。

齢などが、人間存在によって縛られていることを宇宙論の立場から理論づけたのが最初です。一般に弱い人間原理とよばれているものです。その後、それを受けて、ブランドン・カーター[47]が、「宇宙は、知的生命体が存在するような構造をしていなければならない」という主張に発展させ、「強い人間原理」などと呼ばれています。

ディッケの主張は、われわれは、自分の顔を直接自分で見ることができないように、自分自身を客観的に見ることができなくて、見ようとすれば、間接的に自分を投影してくれるものが必要になります。それと同じように、宇宙も一三八億年かけて、自分の姿を見るための目として知性を生みだしたというわけです。

場と気配

堀江――「場」というのもふしぎですよね。

佐治――場を一言でいえば、力を伝える原因となる空間のひずみです。簡単な例で説明すれば、碁盤の目のような格子模様の入ったゴムのシートを地面から浮かして水平に張って、その上にものを載せると格子模様がひずみます。ものを載せ

【47】**ブランドン・カーター**　一九四二年生まれ。オーストラリアの理論物理学者。パリ天文台ムードン局宇宙理論研究室（ＬＵＴＨ）の研究者。「宇宙は知的な観測者が存在しうるような構造をしていなくてはならない」という強い人間原理を主張した。

たところが下にさがって、それに引っぱられるから、ゴムシートがすり鉢状に下にたわむからです。この空間のゆがみが力を生みだすわけですね。つまり、その周辺をビー玉が通れば、そのくぼみに引かれるように落ち込みます。そのくぼみから力を受けるわけですね。このように、他に力を及ぼす領域のことを「場」というふうに考えていただくとわかりやすいかもしれません。いいかえれば、「場」とは、ゆがみを含んだ抽象的な空間です。アインシュタインの一般相対性理論では、時間と空間を同等に含む時空のゆがみが主役になります。

ここで、時空といって時間と空間を一緒にした空間を実際に想像するのはむずかしいので、二次元空間で考えるとわかりやすいですね。たとえばx y軸をもつx y平面という二次元の空間に、垂直方向にのびる時間軸としてz軸を加えます。すると、たとえばx y平面上で太陽のまわりを地球がぐるぐるまわっている情景は、時間も同時に考えれば地球と太陽は時間とともに上のほう（つまり、z軸、時間軸の未来の方向）にずれていくので、地球の軌道の軌跡は螺旋になりますよね。でも、その螺旋をz軸のどこかで切ってみる。いいかえれば、ひとつの面への投影図形で見れば、それは円になるわけです。私たちは時空全体をみることはできませんが、その一部として投影面を見ているといってもいいかもしれませんね。

堀江――円。

佐治――はい。投影されたものが円。僕は文学的というか日本人の感性として、「面影」という言葉が非常に好きなのです。『万葉集』などでも、実際の恋人が出てくるより、恋人の面影が出てくることを重要視した作品が多いように思います。

実は、面影には量子力学にでてくる不確定性原理を思わせるようなところがありますね。（距離的に）近いと面影になりにくくて、遠いほうが面影になりやすい。この「面」という言葉の裏には、本来「おもむく、動く」という意味があって、気持ちが動いていくというニュアンスもあるようですね。

堀江――「気配」という言葉もありますね。秋の気配とか。

佐治――そうですね。風の音で秋を感じるとかいいますね。これを「場」の立場から考えてみると、空間に誰かいれば、その空間は何がしか他とは違ってきて、しかもその違いは記憶されると考えることもできます。これは、最新の量子力学からの帰結ですが、その場合の空間は、私たちがいつも経験している三次元空間ではなくて、もっと十一次元くらいの高次空間かもしれません。これ以上言うとオカルトになる危険性大になるんですけれど（笑）。「千の風になって」[48]という歌

【48】**「千の風になって」** 作者不詳のアメリカの詩“Do not stand at my grave and weep”（題名がないため、詩の冒頭部分が題名代わり）を、シンガーソングライターで芥川賞作家の新井満が翻訳し、曲をつけた歌。二〇〇三年に新井自身によるCDと詩集が発売されヒットしていたが、二〇〇六年にテノール歌手・秋川雅史がカバーして大ヒット、秋川は紅白歌合戦にも出場した。

ではありませんが、人間が亡くなったあとも、その人の面影はいつまでも、この高次時空のどこかに記憶され、残っているといってもいいでしょうね。

堀江――そこにちゃんと記憶された次元があるということですね。

佐治――そう考えますと、歴史的には人間を死の恐怖から救うのは宗教の役割でしたけれど、科学の新しい知見も人を苦しみから救うための何かになるのかもしれません。

魔女狩りは太陽の黒点が悪い？

堀江――奇妙なのはギリシア・ローマ時代には、彫刻にせよ建築にせよ、非常にすばらしいものがあります。ルネサンスで再登場しますが、そのあいだの中世は、芸術活動も非常に貧しい。どうしてそうなったのか。人間社会の発展がどうして連続的ではないのか、つねづね疑問です。

佐治――それについて、太陽の活動と文明との関係を論じた研究があります。太陽の活動が衰えると気候変動が起こる。中世にはそれで氷河期の小規模なものというか、小氷期が訪れています。すると、寒いということだけではなくて、飢饉が起ったり疫病が流行ったりして、人間生活にも多大な影響が出てきます。
　たとえば、そういうときにかぎって魔女裁判が起っているんですね。目立つ女性とか、とにかく誰かを魔女に仕立てて殺してしまうという悲惨な事態になっていきます。

堀江――そういえば、魔女というのは女性だけなんですかね。

佐治――そうですね。男が何かの疫病神として裁かれた例【49】はあると思いますが、しかし女性のほうがずっと多かったようですね。南ドイツに行ったとき、葡萄園のなかに碑が立っていて、「ここでマリアという名前の女性が魔女として殺された」と書いてあったりする。そういった遺跡もかなり残っていて、今さらながらそんな凄惨な時代もあったことに胸が痛むのですが、そういう人間社会や文明の歴史と太陽活動の盛衰には関係があるという膨大な研究があります。

堀江――太陽活動というのは温度ですか。

佐治――基本的には温度そのものではありませんが、太陽面での爆発とか、磁気嵐、黒点変動などが原因となって、太陽からのエネルギー放射の量が変わります。するとオゾン層にも影響が及び、その結果、温室効果が変わってきて、地球の平均気温が大きく変動することになります。地上の文明が排出する二酸化炭素の影

【49】男が……裁かれた例　魔女とされた者は女性が多いが、男性がいないわけではない。魔女として処刑された男性として、イギリスのトマス・ウィアー、ジョン・ウォルシュ、ドイツのヨハンズ・ユニウスなどが知られている。また近世アメリカの魔女狩りとして有名なセイラム魔女裁判（一六九二年、当時イギリス領であったマサチューセッツ湾植民地で行われた裁判）では、十九人が処刑されたが（そのほか三人が獄死）、そのなかに、男性のジョン・プロクターも魔術を使ったとして絞首刑となっている。

響だけではなく、太陽から吹いてくる太陽風、つまり電子の風ですが、その変動が、地球全体を宇宙放射線から守っている磁気圏にも影響を及ぼして、それがまわりまわって温室効果に影響を与えるということにもなります。

実は現在ちょうど、太陽活動が低下している時期で、人間が排出する二酸化炭素の量と、自然界の揺らぎのなかで増加する二酸化炭素の量が重なっているのではないかという論文も出てきています。

堀江——ということは、いま温室効果が二倍になっているということですか。

佐治——正確に二倍だとはいえませんが、たがいに助長しあっているということですね。ですから、これからの地球環境問題も、自然界の揺らぎや、もっと深刻なのは、天空からの天体衝突という最大の自然災害も含めて、各分野のエキスパートたちの知見を結集していかなければならない時期だと思いますね。戦争反対といいながらも、武器の製造者は儲かっているのですから、彼らにとって戦争は、好ましいことでしょう。しかし、人類にとっては悪そのものです。地球規模の異常なまでの気候変動についても、すべての人たちが納得できるような正しい情報を共有して、みんなで持続可能な社会の実現に向かって努めるべきでしょうね。

ともあれ、現代はいろんなところから情報があふれてくる情報過多社会ですから、正しい情報とそうでない情報を選別するための基準《スタンダード》が欲しいですね。

堀江——でも情報の選別を国がやるわけにもいきませんね。

佐治——そうなんですよ。でも、何か、文明文化の領域でも、学問の世界でも、国を超えた普遍的なメリットは必ずありますよね。宮澤賢治を引用するまでもなく、みんなが幸せにならないかぎりほんとうの幸せはない、というような、そんなきっかけになるものを期待したいですね。でも、実は人間の体のなかでは、それに近いことが起こっているというのですから、生命は凄いですね。人体はまさに宇宙そのものです。

第2章

医学の現実を見つめて

医療現場からいのちを考える

人工透析中止事件

佐治――そういえば、人工透析を患者さんの希望で中止したら患者さんが死亡したという事件がありましたね[1]。あのときやはり、人間が生きているということをどう考えたらいいのだろうか、という問題が根源にあるような気がしたのです。先生はどのようにお考えになりますか。生物学的に心拍停止で……といったこと以外に「生きていること」の意味もあると思うのですが、いかがでしょうか。

堀江――このあいだの事件については、人工透析を受けられていた四〇代の方でしたか、結果的に透析をおやめになりたいということになった。人工透析は歴史としては長く、すでに七〇年くらいあるもので、腎臓の機能が悪くなって体の老廃物を排出できないときに、簡単にいうと機械が血液を濾過して、老廃物を捨てるというものです。したがって、透析をしないと亡くなってしまう。逆にいえば、透析をしていると生命を維持できる。

こういう問題には必ず報道に出ている問題と出ていない問題があるので、注意する必要があるのですが、透析を続けることに違和感があって継続したくないと

【1】人工透析中止事件　二〇一八年八月九日に、東京都福生市の公立福生病院で、四四歳の女性患者の左腕につくっていたシャントが閉塞し、外科医（五〇）は首周辺に管を通す治療を提案したが患者が「シャントがだめだったら透析を中止しようと思っていた」「透析の針を通す際の痛みがつらい」などと言って拒否。外科医は透析をやめると二週間くらいで死に至ると言ったが、女性は翻意せず、透析からの「離脱証明書」に署名した。患者は一四日に呼吸困難を起こし、一六日未明、呼吸の苦しさや体の痛みを訴え、看護師に「こんなに苦しいなら透析したほうがいい。撤回する」と発言したと記録に残っている。八月一六日昼前には症状が落ち着き、外科医が透析再開を望むか、それとも呼吸の苦しさや痛みが軽減されればいいかを問うと「痛みがとれれ

いう患者さんがいる場合、おそらく医療の現場は生命維持の医療を継続することの説得を試みるはずです。一方、患者さんは希死念慮といいますが、自殺とか自裁といった、これ以上生きていたくないという意思表示をすることがあります。

ただし、こういう意思表示をするときには、その背景に何らかの精神的な疾患がある可能性もあります。たとえば鬱病という病気があるがゆえに、自殺を考えるということもある。こういう場合には、精神病を治療すると、治療中止を撤回する可能性があります。

医師の仕事とは基本的に人間を生かすことですから、おそらく医療者はいろいろと説得はされたと思います。しかし最終的にその患者さんが人工透析を受けたくないんだと言った場合には、ご本人の意思に対して医療者は反対できません。だから私が思うには、そういった一連のプロセスがあって、人工透析を中断して亡くなったのだと思います。

また人工透析はワンフロアに二〇人とか三〇人をいっぺんに治療していますので、自分の意志で治療を中止した人がいることは他の患者さんにもわかりますし、そういう考えが他の患者さんに共有されてしまうと、自分も透析はやめたいと言いだすことがあってもおかしくないかもしれません。

ばいい」と答えたという。外科医は女性の息子ふたりにも確認のうえ鎮静剤を増量し、女性は同日午後五時一一分に死亡した。ただし、病院側と患者の夫で、死亡までの経緯の証言は必ずしも一致していないともいわれる。同病院ではこの患者を含めて、二四人の患者が透析の中止により死亡しているという。（事件当時の新聞各紙および医療ジャーナリスト・浅川澄一氏の「透析中止事件で問われる「死の在り方」」と「報道姿勢」」DIAMOND. online、2019.4.24 などを参照）

医療界というのは患者さんを生かすということをア・プリオリな前提としているというか、当然のことになっていて、患者さんの生を終わらせるというのはタブーなんです。だからこういう報道がなされると、医療者のあいだからは強い拒否感が出てくるのですけれど、これはそれがあった医療の現場の状況をよく見てみないと、わからないことが多いんです。

佐治――ということはその患者さんが亡くなったという事実だけをピックアップして議論はできず、いかにしてそうなったのかというプロセスを検証する必要があるということですね。

医師と患者のコミュニケーション

佐治――私がダライ・ラマ法王【2】とお話をしたときに、この件に近いことがあったんです。物事の善悪の判断は、そのことだけを見て判断してはいけません、とおっしゃったのが、ぼくには非常に印象的でした。誰かが何か悪いことをしたとします。その行為に対して、ただ単に罰するのではなくて、いかにしてそういうことに至ったのかも考えなければならないし、（その行為の結果も）時間がたって

【2】**ダライ・ラマ法王**　ダライ・ラマは一六世紀以来の伝統のあるチベット仏教ゲルク派の転生活仏（衆生救済のため何度でも転生してこの世にとどまると信じられている高僧）で、観音菩薩の化身とされ、チベット仏教の指導者にして政治的指導者。現在のダライ・ラマ一四世テンジン・ギャツォ（一九三五–）は四歳のときにダライ・ラマの転生者と認定され、一九四〇年に正式にその地位についたが、一九五〇年からはじまった中国のチベット侵攻とその後の騒乱のため、一九五九年にインドに亡命し、ダラムサラに亡命政府を樹立。チベットの自治を求める活動をつづけるとともに、チベット仏教の世界的な普及にも尽力している。一九八九年にノーベル平和賞を受賞。

みなければわからないことである、と。ダライ・ラマ法王がおっしゃったのは、そのことがのちのちの社会に対してどのような影響を及ぼすかということに対して、善悪の判断をしなさいということでした。
　ということは、人生のなかにおいて、あのときは本当にいやだった、まずかった、と思うときはあるでしょうが、いまそう思うとしても、いまの時点では、その（善悪の）判断はできないでしょうということですよね。これから五年、一〇年たってみてはじめて、それがよかった、悪かったという判断できるだろうということですよね。

堀江――そうですね。自分で自分の人生を終わらせる判断をするのは、非常に強い判断なんですが、たとえばがんの患者さんで、全身にがんが及んでいて、がんに対しては抗がん剤治療をはじめいろんな治療があるけれども、それらの効果がなかった場合、医師は「そのお薬は効果ないですね」と告げることになります。しかし「効果がない」と告げれば、患者さんとしては、これからどういう人生を歩むか考えなければならない。ここが非常にむずかしくて、たいていの患者さんは、そこで見放されたと思ってしまいます。
「がん難民」という言葉がありますが、いろいろな治療をやりつくしたけれども効果がなく、ついに標準的な治療の選択肢がなくなってしまった。患者さんとしては「何か、海外で使われている薬が使えないですか」とか、そういった代替物に望みをかけるしかない一方で、治療方法がなくなったという喪失感や悔しさ、それがときには医療者に対する憎しみに変わったりもする。

医療者のほうも、そうした患者さんについて「いのちに限りがあることを許容できない」とか「死を受容できない」という言い方をしがちだけれども、本来はもっと前の段階で、人生に終わりが来る可能性があると告げたり話をしたりしておくべきなのです。

また、ある日突然「それでは、今日は一時間、今後の話をしましょう」と言われても患者さんも困るので、僕が若い先生に言っているのは、一回二〇分くらいでいいから、何回かにわけて少しずつ話をしていくということです。ニスを薄く塗っていくようにする。

ある日突然「今日はみなさん集まってください。お話があります」って言ってもあまり有効ではありません。患者さんや家族と医師のあいだにバリアができてしまうんですね。

治療をしながら、たえず話をするようにしたほうがいいんです。治療には当然副作用もありますし、患者さんが活動できる範囲や時間も狭まってきてしまいますから、むしろ「いま本当にやりたいことは何ですか」っていうことを患者さんご本人に考えてもらうことが、実は非常に大事です。

ただ現在は、医療者は他人の人生について考えることなどすべきではないといった考えも、何となくあるわけです、目の前の問題の解決に集中し、それ以外の余計なことは話さないという風潮が、とくに若い先生には多いですね。

確かに、がんが見つかった、治療します、でも薬が効きません、となったとき、「はい、さよなら」で、そのあとはまた別の人、いわば終活カウンセラーにお願いします、という考えもあるかもしれません。しかし医療の本質論で考えるならば、人生の幕引きも医療者の大事な役目じゃないかなと思います。

佐治――いまおっしゃられたような医療のあり方は、最近ちょっと薄くなってきたような気もしますね。

科学の分野でも専門が凄く細分化されてきています。だから自分の領分はこれだというのがはっきりしていて、みんなでバトンタッチしながら研究をする。それとちょっと似ていると思います。

でも僕は体と心は表裏一体だと思うので、いま先生がおっしゃったように、本当の医療は当然心のケアも含まれるものであってほしいと思います。

堀江——そうですね。

佐治——現場の立場から見ると、「そう言われても、患者さんは多いのに医療者の人数は少なすぎてできないんですよ」と言うかもしれないし、その気持ちもわかります。そこをどう折りあいをつけるのか、あるいは、そこをカバーする特別のシステムがあったほうがいいのか、考えどころなのではないでしょうか。

ただこんな重要な問題について先生が、医療はもともと単に化学《ケミカル》的な治療をするだけではなく、メンタルも含めたうえでの治療だとおっしゃってくださったことに、僕はいまとっても安心しました。それが医療の本質であるし、そうあってほしいと感じます。

堀江——さきほどの透析の事件については、患者さんが四〇歳代ということにも、社会の驚きがあったのではないでしょうか。九五歳だったら誰も何も言わないと思います。むしろよかったという人もいるかもしれない。当然だという人もいるかもしれない。

患者さんが四〇歳代だからこそ、まだ人生の余命がある人を医師がそそのかして、人生を終わらせたのではないかという疑いが起きる。現代ではみんな何となく、ある年齢までは誰もが生きることができると当然視していて、だからそんな印象も生まれます。

森鷗外の史伝三部作【3】のひとつに『渋江抽斎』という作品があって、小説のように書いてはあるんですけど、ほとんどドキュメンタリーです。何の誰兵衛が何月何日に生まれて死んだっていうことばっかり書いてある。それも異様に細かく緻密に書いてあるんですね。

そうすると、江戸の末期の人でもずいぶんな高齢で生きている方もいるし、本当に数歳で亡くなる子どももいる。四〇歳で亡くなる人もいれば、三歳で亡くなる人もいる。八〇歳の人もいる。たえず人は亡くなり生まれている。こういう社会と、現代のように平均寿命が八十何歳ですという時代とでは、やはり死生観も違うのですね。

【3】**森鷗外の史伝三部作**　『渋江抽斎』(一九一六)『伊沢蘭軒』(一九一六)『北条霞亭』(一九一六―一九二一)。

治療で優先すべきは何か

佐治――この事件ではずいぶんいろいろな報道がされていましたが、僕が興味を持ったところでは、この患者さんは透析を中止したことをあとで後悔して、やっぱり透析を再開したいと言ったという報道があったことです。もしそうだとすると、なぜに再開しなかったのだろう、透析っていったんやめたらすぐには再開できないのかな、っていうような疑問を持ったんです。

もうひとつは、ある有名な病院長が言っていたことですが、この患者さんは透析をやめることを安楽死することと勘違いしていたのではないかということですね。

堀江――透析をやめたのをどこかの段階で再開することはきわめて簡単です。

佐治――簡単なのですか。

堀江――ええ、きわめて簡単なはずです。

ただ、透析をしないと患者さんは非常に苦しくなる。苦しくなったときに「透析をしてくれ」ということは言えるし、再開すれば苦しさは治まりますが、おそらくこの人は再開してくれと言わなかったんだと思うんです。苦しいから、ご主人なり家族を呼んでくれとは言っていますが、透析を再開してくれとは言わなかったのではないか。

とはいえ人間の気持ちはどこかの瞬間で変わるかもしれません。たとえば、自分で首を吊って死んでしまう人は、あっというまに亡くなってしまいますが、それでもその瞬間、「やっぱり死ななきゃよかったな」と思ったかもしれません。

佐治――確かにそうですね。

堀江――だから、本当にどうだったかを推測するのは非常にむずかしいのです。

一方、安楽死で興味深いのは、安楽死ではそこに医師がいるのです。死ぬに際して、医師が苦痛がないようにとりはからう。

しかし日本では、安楽死はよくない、自分の意志で亡くなるときに医者が立ち会ってはいけないという発想があるので、この患者さんが亡くなるときには医者はいなかったと思います。だとすれば、この患者さんは、死ぬとき相当苦しかった可能性はあるんです。

さきほどの病院長が安楽死と透析中止を勘違いしたのではないかというのはまさにそこで、これは決して安楽死ではありません。そこに判断の可逆性っていうものはあって、そこに医師がいればいかなる瞬間でもたすける努力をすることはできるのですが、こういう状況で死にゆく患者さんをじっと見ていると安楽死ということになって、罪に問われてしまうんですね。

そういえば報道では、透析中止について倫理委員会がひらかれておらず、これはガイドライン違反だという話もあったのですが、ガイドラインというのはまったくナンセンスです。
ガイドラインというのは医者の診療活動の規範なんですが、患者を生かすことにあらゆる関心が集まっているので、患者さんが生きようとしないという事態は前提として考えていません。患者さんが自分から生命維持装置を外してくれと言ったとしたら、患者さんはメンタルを病んでいるのだから、その患者さんが病んでいるのを治療しろという発想になる。
それでは、がんの患者さんや非常に高齢な方をどうするのかについては、日本の場合、きちんとしたルールを決めるのではなくて、何か暗黙の了解のようなかたちになっているのだろうと思います。

佐治——なるほど。それでは、倫理委員会をひらく必要はないわけですか。

堀江——開いたって、医者には判断できないですよ。自立した死についての教育は受けていないし、そういう文化もないので、倫理委員会を開いても議論のしようがないですね。透析を中止することの責任論の議論が関の山でしょう。

佐治——まさにそういう文化をどう涵養するかということになりますね。そういうところでひとつの方策として出てくるのが、宗教ということにもなりましょうか。

堀江――そうかもしれません。

佐治――ミッション系の病院なんかだと、そのあたりを神さまに委ねてしまって、何らかの処置が行われるんでしょうか。そうすると、宗教の必要性もどこかで医学と絡んでくるのかなという気もします。

堀江――神を信じるところから人の生が自立する、ということですね。これからの日本はものすごい超々高齢社会ですから、こういう問題はますます増えてきます。だからこういう問題をどう扱うのかはとても重要なのですが、日本人はやっぱりこの種の問題に対して原理原則を打ち立てにくいですね。

佐治――なかなかイエスかノーか割り切れないところがありますよね。

堀江――割り切れない。むしろその場の雰囲気が力をもっているような。

佐治――そうそう、雰囲気もあります。それが特徴ですよね。

堀江――がんの患者さんで、痛かったり苦しかったりして、「もう少し麻薬の量を増やしてください」ということがあります。しかし増やすと呼吸が抑えられて、そのまま心臓がとまるかもしれない。この場合、医師の側にも患者の苦痛をとるという大前提があり、家族もそう思っているので、結果的に亡くなったとしても、その場の全体の空気で「よし」とされることは日常的にあるわけです。

ヒポクラテスの誓い

佐治――でも基本的に考えると、人間にとって一番いやなことはやっぱり、苦しいことや痛いことではないでしょうか。

堀江――そうですね。

佐治――でも、そこに至る前の段階では、やっぱり苦しみとか痛みをとることが根源的な出発点ではないでしょうか。そのあたりを基準にして治療をどうするかを考えていく。そういうことは、いわゆるガイドラインなどには書かれていないのですか。

堀江――本質的な考えについては、「ヒポクラテスの誓い」【4】というものがあります。「患者に害を与えるなかれ」というのです。害とは何かといえば、結局、先生がおっしゃったように、患者が苦しむようなことをするな。あるいは、患者にとって、「no harm」であれ、ということです。

佐治――「no harm」ですか。傷つけない。そういえば、仏教の基本はアヒムサ（ahimsa 傷つけない）でしたね。キリスト教では、クレメンティア（clementia 寄

【4】ヒポクラテスの誓い　ヒポクラテス（前四六〇–前三七〇）は古代ギリシアの医者。経験科学としての医術を追求した。ヒポクラテスの誓いはヒポクラテスないしその弟子の残したものと信じられ、一六世紀ドイツを嚆矢として全世界の医学教育にとり入れられるようになった。内容は次のとおり。

医神アポロン、アスクレピオス、ヒギエイア、パナケイアおよびすべての男神と女神に誓う、私の能力と判断にしたがってこの誓いと約束を守ることを。

1　この術を私に教えた人をわが親のごとく敬い、わが財を分かって、その必要あるとき助ける。

2　その子孫を私自身の兄弟のごとくみて、彼らが学ぶことを欲すれば報酬なしにこの術を教える。

3　そして書きものや講義その他あらゆる方法で私の持つ医術の知識をわが息子、わが師の息子、また医の規則にもとづき約束と誓いで結ばれている弟子どもに分かち与え、それ以外の誰にも与えない。

4　私は能力と判断の限り患者に利益すると思う養生法をとり、悪くて有害と知る方法を決してとらない。

り添い）でしょうか。

堀江——そうです。ただし、そのときは痛かったり、苦しいけれども、その苦しさを乗り越えたら病気が治るというのが外科治療です。結果として、その患者にとってプラスにならないことはしない。しかし酵素の触媒反応ではありませんが、一時的にたいへんな時期を経なければいけないこともある。白血病の抗がん剤治療などイメージしやすいですね。

佐治——そこは積分値【5】みたいなものを考えるのでしょうかね。

堀江——なるほど、積分値ですね。

佐治——そうです。積分値と考えるしかないように思います。

もちろん確率もあると思います。その苦しみを乗り越えたら幸福が待っているけれど、乗り越えられなかったらそこでおしまいですから、乗り越えられる確率が低い場合は、その苦しみを味わってまで低い可能性に賭けるかどうか迷うことになる。

そのとき一番問題なのは、その人がどう思っているかを、第三者には計れないということでしょう。

堀江——そうです、そうです。

5　頼まれても死に導くような薬を与えない。それを覚らせることもしない。同様に婦人を流産に導く道具を与えない。

6　純粋と神聖をもってわが生涯を貫き、わが術を行う。

7　結石を切りだすことは神かけてしない。それを業とするものに委せる。

8　いかなる患家を訪れるときもそれはただ病者を利益するためであり、あらゆる勝手な戯れや堕落の行いを避ける。女と男、自由人と奴隷のちがいを考慮しない。

9　医に関すると否とにかかわらず他人の生活について秘密を守る。

10　この誓いを守りつづける限り、私は、いつも医術の実施を楽しみつつ生きてすべての人から尊敬されるであろう。もしこの誓いを破るならばその反対の運命をたまわりたい。（小川鼎三訳　金沢医科大学のＨＰより）

【5】**積分値**　経済学などで個人の効用の総量を考えるときに、効用関数を現在から生涯の最後まで（あるいは無限の未来まで）の範囲で積分することがある。幸福にも同様の考えかたをするということ。

佐治――大丈夫じゃないときでもわれわれは「大丈夫です」って言います。「大丈夫ですか」って言われたとき、「大丈夫でない」とは言いません。だから「大丈夫です」って言っても大丈夫かどうかわからない。医療者としては、そのへんの感覚がわかりづらいのではないでしょうか。

誰が治療を選択するのか

堀江――現代の医療は複合的で、「骨が折れました。じゃ、つなぎましょう」とか「黴菌が入って肺炎になりました。じゃ、黴菌を殺しましょう」といった単純な医療ではなくなっていますので、そのあたりはますますむずかしいですね。

あと現代の医学で問題なのは、特にご高齢の人なのですが、臓器の問題がひとつでないことが多いのです。非常に連関した問題がいくつもある。そのとき、たとえば肝臓の専門家はこういう薬を出す、心臓の専門家はまた別の薬を出す、呼吸器の専門家はまた別の薬。それらをぜんぶ服用していると、角を矯めて牛を殺すことになってしまうんですよ。

だから何がプライオリティかを考えなければならないのですが、相当の責任感をもってその患者さんをよく観察して、さらに十分な医療知識がないと判断できないです。

佐治——もっともです。

堀江——患者さんがどういう暮らしをしているのか、たとえば団地の一階に住んでいるのか五階に住んでるのかといったことまで含めて、いろんなことを考慮しないと、何をもってプライオリティとするか判断できません。医学もいまどんどん細分化しているので、それぞれの問題に対するベストサポート、ベストソリューションはあっても、ぜんぶの問題を統合的に考えたときにどうなのかはわからない。

佐治——現実には、そういう場合、誰が最終的な判断をするんでしょうか。心臓の先生はこう言うし、腎臓の先生はこう言う、みたいに、意見がたくさんある場合のことなんですが。

堀江——判断されてないんですよ。

佐治——されてない？

堀江——ええ。患者さん本人が判断してるケースもあります。適当に薬を間引いたりして。

佐治――それはわかります。僕自身もこの春、腰をやられてその痛みに耐えかねていたときに、腎臓の先生には鎮痛剤はだめですと言われてしまった。それで堀江先生にもご相談したことがありましたけれど、最終的に判断するのはやっぱり自分でしたね。

堀江――このケースでは、佐治先生は痛いわけだから、痛みをとるべきなんです。だけど腎臓の専門家としては、鎮痛剤を長期間使うと腎臓が悪くなるリスクがあると考える。だから、「鎮静剤は使わないほうがいいですよ」と言って、その次に「透析になりますよ」と言うわけですね。

佐治――「透析」と言われると、こちらもおののいてしまう。

堀江――それは呪文をかけているだけです。実際には腎臓の専門家にとって、自分の患者さんの腎機能が悪くなったら、医者としての自分の負けというか、マイナスだということなんです。一言で簡単にいえば「いや」なんですよ。

佐治――なるほど。

堀江――でも佐治先生の腰が痛いとき、痛みどめを飲んで痛みがなくなって仕事ができたほうが、社会にも貢献もするし、腎臓も言うほど悪くならない可能性が十分ある。そこが医療のむずかしいところですね。

佐治――そうですね。今回の僕の経験では、腰の痛みがご専門ではない堀江先生にもご相談して、そのご案内で薬を出していただいたりしたのですが、医学も専門分野が細分化されていますから、横の連携が非常にとりにくくなっているのでしょうね。

堀江――とりにくいですね。

佐治――裏を返せば、ある臓器と別の臓器がどういうメカニズムで結ばれていて、どういう関連性があって、どういう因果関係を持っているか、まだ完全にわかっていないっていうことですよね。

堀江――おっしゃるとおりです。

佐治――そこがわかっていれば、どうしたらいいかはわかりますよね。

堀江――そうともいえないんです。ある程度経験値があればどうすればいいかわかる場合もありますが、「俺は腎臓の専門家だから腎臓が悪くなるのはいやだ」ということもある。「腰が痛いなんて、大した問題じゃない。腎臓のほうが大事だ」。つまり医療者と患者さんでも価値の置き方が違いますが、医療者同士でも違うわけです。

佐治――よくわかります。たぶんそうなんでしょうね。

そうすると、患者を診るときは病気だけを見るのではなくて、その人の生活スタイル全体も見るというのが、ある意味理想形なんでしょうね。

堀江――いまちょっと思ったのは、「ブロックチェーン」というのが流行っているではないですか。情報を大勢で分散して持っておき、分散したそれぞれの情報の中身は別のブロックによって証明されるから改竄ができないような仕組みになっているので、犯罪とか、ごまかしを防げるというものです。

しかし情報がいろいろなところに分散されていて、それぞれの情報が同じように扱われ、しかもそれぞれの透明性が確保されていたとしても、どこかで情報に対する価値の置き方にひずみが出てくると、そのひとつのひずみがほかにも影響するように思うのです。

医者の場合ですと、ある患者さんには四つの病気があって、四人の医者が診ているとします。みんなで患者さんの情報を共有しているし、他の医者のこともわかっているわけですよ。だけど、ひとりが「わしは腎臓病が専門だから、腎臓の観点から痛みどめはだめだ」と言うと、もうひとりは「わしは心臓だから」とか言いだして、みんなで情報は共有してるのにもかかわらず、結果として最善のソリューションに行かない可能性があるかもしれない。

インフォームド・コンセントの欺瞞

佐治――たぶん医学の世界でも、バッハ【6】のような人が必要なんですね。彼は音律を平均律にしちゃった。純正律とかピタゴラス音律というのは完璧にピッチが合う和音をつくることができます。しかし、転調ができない。ハ長調からヘ長調、ハ短調などと自由に転調するためには、どこかで集まった歪みを二の一二乗根の比率でわけなければいけない。そこから生まれたのがバッハの平均律でした。医学界でも同じようなことが必要なのかもしれませんね。

ひとつ思いだしたのは、僕の友だちに建築家がいます。彼に建築依頼が来ますよね。でも彼は、「はい、わかりました」とか言って、すぐとりかからないのです。少なくとも半年間はつきあわせてくれと言う。依頼主と半年間普通のつきあいをしないと、その人がどういう人なのかわからない。その人の生活スタイルとか、どれくらいの頻度で来訪者がくる人なのかなど、そういうことがわからないと、その依頼主にフィットする設計ができないって言うんですね。だから半年はつきあわせてくれ、と。そういう一級建築士がいるんです。

【6】**バッハ**　ヨハン・セバスティアン・バッハ。一六八五―一七五〇。バロック音楽の大成者と目されるドイツの音楽家。音楽の父とも称えられる。教会オルガニスト、ヴァイマル宮廷の楽師長、ケーテンの宮廷楽長を経て、ライプツィヒの聖トーマス教会のカントル（音楽監督）。教会音楽、鍵盤楽曲、室内楽など数多くの作品を残し、代表的なものに『マタイ受難曲』『ブランデンブルク協奏曲』『ゴルトベルク変奏曲』などがあるが、『平均律クラヴィーア曲集』（全二巻）は、ベートーヴェンのソナタ（ピアノの新約聖書）との対比で「ピアノの旧約聖書」と呼ばれることもある。

堀江――それはすばらしいですね。

佐治――たぶん細かいことを数学のようにきちっと割り切ることはできないけれども、最終的には患者と医師のあいだの信頼関係に落ちつくのかもしれません。万が一判断が間違ったとしても、信頼関係のなかにあれば、うまく問題を回避できる場合もあるんじゃないでしょうか。

堀江――医療における信頼というのもむずかしいんですよ。患者さんがどういう価値観を持っているか。僕も若い医者によく言うのですが、その人その人にとって価値観は違います。その価値観と違う医療を提供する場合は用心します。時間をかける必要があります。

　患者さんの価値観はたぶんに経験的なものが多い。たまたま自分のお母さんががんになって、抗がん剤で苦しんで亡くなったから、俺は抗がん剤だけはいやだとか、身内に手術してひどい目に遭った人がいるから絶対に手術は受けたくないとか。そういう経験に基づいて価値観が出てくるのであって、哲学的なところから価値観をつくる人はまずいません。極端なときは、好きかきらいかとか、恐怖や不安とか、そういうところから価値ができる。その価値を裏切らない医師は、たしかに信頼されるかもしれません。

だけど、本当の最善手はその人の価値観とは関係ないところにある。でも医師によっては、その人の価値観に合わせてしまうケースもあるでしょう。

佐治——そうですね。

堀江——ところが、そこまでして患者さんの価値観に合わせたのに、別のところで「違う治療をしたら、少々つらいかもしれないけどよくなる」と知ったとしたら、患者さんは信頼を裏切られたと思うのです。

佐治——むずかしいところですね。

堀江——それがいやなので、最近の若い医師は、「Aという治療とBという治療とCという治療があるから選んでください」と言うんです。これは結構ずるいやり方で、「自分で選んだんだから文句は言えないでしょ」という論法です。

佐治——なるほどねえ。

堀江——しかし、がん治療はスーパーマーケットでの買いものやレストランのランチではありません。再現できないというか、次がないので、失敗から学習することができないんですよ。

佐治——なるほど。

堀江——だから僕は医療者として、医師が選択肢を提示して患者がチョイスするのはナンセンスだと思っているんです。

先生がおっしゃった、さきほどの建築士の方じゃないですけれど、いくつかの考えを示しながら、おたがいが話しあったところで落ちつくというのは、「シェアード・デシジョン・メイキング」といいます。

従来は「インフォームド・コンセント」といって、AとBとCという治療があって、どれがいいと思うかを医師が言って、患者はそれに同意して、医師側も「ご自身で、これに同意したでしょ」というものです。「シェアード・デシジョン・メイキング」は、医療的な判断をするときに、医療者と患者が同じ目線、同じ土俵で相談して決定することになっている。

佐治――患者側からいうと、患者には医学の知識はないので判断しようがないことが往々にしてあります。情報がなくて判断させるのはクジ引きと同じです。

堀江――そうなんですよ。

佐治――病気になったときは、ドクターの意見にはかなわない。だからお任せしなきゃいけないっていうところがありますね。そのあたり、どこで折りあいをつけるのが一番いいのかが考えどころですね。

堀江――みなさん結局、最後は直感で「あ、この医者はいやだな」というので選んでますよ。

佐治――それはあるかな。要するに学校の先生とおんなじですね。

それから、情報をいろいろとネットで調べてチェックすべしといいますけれど、医学の情報についてはわかりませんが、科学の情報に関するかぎりは、ものすごくいいかげんなことが多い。ネット情報で判断をするのは非常に危険です。

だから、きちんと医学の勉強をしてない患者が、治療に関していろいろ判断するのはとてもむずかしい。ただ、どう生きたいかという主張だけはできる。どう生きたいかを主張して、それにどこまで沿えるかについてはドクターにお任せすることになるのでしょうね。

生きる価値

佐治――そういう意味では、僕なんかは、かなり勝手な患者だと思います。堀江先生に「ぎりぎりのところまでは手術はいやだ」とか文句ばっかり言ってましたから。

堀江――いや、先生のようにどう生きたいかが明確な場合は、医師として決断しやすいんです。そういう意味では、人生が充実している方のほうが、何もすることがない人に比べて、はるかに「シェアード・デシジョン・メイキング」はやりやすい。

　でも、このことを話すのはちょっとむずかしいんです。人間には感情があり、好ききらいもある。患者さんが「すごく忙しい」と言うなら、「忙しいならこちらにしましょう」とも言いますし、いろんなファクターが絡んできて、うまく判断できているのかどうか微妙な場合もありますから。

佐治――逆に、人生の目標が明確でない人がいるとして、そういうときはどういう方向で判断をなさるんですか。

堀江――人生の目標がまったくない人って、やっぱりいないものです。どんなささやかなことだとしても、どんな人にも、その人の核となる活動があります。だから、なるべくそれを尊重するということです。

佐治――そうなると、それはやはり「倫理」ではないかとも思うのですが、「倫理」という言葉でくくってしまうと何かむずかしい印象を与えることにもなるので、もうちょっとやわらかい、よい言葉がないものでしょうか。

　ただ倫理委員会をひらいておかないと、たとえばあとで裁判になったときに問題になるといったこともあるでしょう。内実ではなくて手続きが重視される。そこまでしなくてはならないのは、たいへんな時代になったなとも感じますけれど。

堀江――そうですね。

佐治――科学についても同じようなことがあります。最近日本学術会議で「軍事的安全保障研究に関する声明」が出されたり、京都大学や名古屋大学が軍事研究をしないという方針を発表したりしました。しかしそれを言いだすと、ニュートン[7]もアインシュタインもみんな軍事研究になってしまう。線引きがとてもむずかしい。

堀江――科学と平和については、やはり過去の反省があると思うのです。科学者が原子爆弾をつくってしまった。ただ、科学、即、平和とダイレクトに連結するのは、さすがにナイーブな印象があります。

佐治――そうなんです。科学は科学、宗教は宗教、平和は平和なのです。それぞれ独立していないと、相互の境界がうやむやになって、政治的な勢力争いというか、力の強いところがぜんぶ牛耳ってしまうことにもなります。

堀江――それは危険ですね。

佐治――危険ですよね。科学によっていろんなことがわかってきたけれども、そ

【7】**ニュートン**　アイザック・ニュートン。一六四二―一七二七。イギリスの物理学者・数学者。微積分学を創始し、万有引力の法則の発見や運動方程式によって古典力学を確立した。主著は『自然哲学の数学的諸原理』。

れをどう使うかは、よく言われる言い方をすれば、「人間の心の問題だ」ということになる。

ところが、心の問題というのをもう少し分析すると、人生の価値の問題になってくる。最終的には「生きるって何なんだ」というところに落ちつくのかもしれませんし、さらに突きつめると、「幸せって何だ」ということになるのかもしれません。

そしてその最終形は何かといえば、結局「人に与える」ことしかできないのです。人は自分ひとりでは生きられなくて、まわりとの共存で生きている以上、自分ひとりの幸せはありえない。みんなの幸せが自分の幸せになる。

そのことを実感させられた出来事がありました。

僕の教え子で脳腫瘍を患った子がいたんです。彼は未来の夢を持っていた。宇宙の研究をやりたくて、僕に、どういう学校に行ったらいいでしょうかと質問してきたりしていました。彼は、病がある段階に達したことで、自分がもう生きられないことを自覚したそのときになっても、「僕にもまだ何かできることはないだろうか」って自問自答していました。そして亡くなった後の臓器提供を思いついた。

彼はまだ高校二年の男の子でしたが、もう自分はだめだと思ったとき、どういうふうに納得したのか、想像するだけで胸が痛みます。しかし、最後の最後に「臓器提供というかたちで役に立てませんか」と言った。生死のぎりぎりのところになっても、誰か人の役に立てるのが幸せということを目の当たりにした出来事でした。

堀江——そうですね。

佐治——宗教も、そういった人の気持ちを具現化する手段のひとつのかたちなのではないでしょうか。医療の現場も、そのあたりにひとつの目標があるかもしれません。同じように、科学研究の目標もそのあたりにあるのでしょう。

心と病

堀江——ひとつ思いだしたのですが、昔のがん患者さんには「えっ！　体にこんな大きなものができてるの！」って、僕が驚くような人が結構いたんです。

　がんのことを英語で「キャンサー」といいますが、この「キャンサー」というのは「カニ」のことで、がんを「キャンサー」というのは、もともと「カニの甲羅」を意味していて、乳がんが進行すると胸にカニの甲羅みたいに固いものが入っているような状態になったからなのです。

でも、いまはそういう人はほとんどいません。もちろん現代は昔と違って早期発見が多いこともあります。しかし亡くなるときに、がんが固い甲羅のようになっているかといえば、そんなことはない。そうなる前にある段階で亡くなるのです。がんがある程度の大きさになると、がんが出すいろんな毒素で生命が終わってしまう。

僕は、自分ががんだと知っていることが大きく影響していると思っています。昔のおばあさんは、胸に固いものがあっても、それががんであると認識してなかった。認識していなければ、おばあさんの免疫機能のほうも、それを気にしていなかったらしいことが興味深いのです。

佐治――なるほど。

堀江――先日、がん研病院で余命三か月と言われて、「痛い、痛い」と泣き叫びながら僕のところに来たおばあさんがいました。がんが体中にまわっていて全身が痛い。「そこまで痛いのかな」とは思いましたが、がんがいろんなリンパ節に散らばっていることは事実で、がんも結構大きい。

たしかに痛いかもしれないので、とりあえず入院してもらい、若い先生に「何も言わなくていいから、手をさすっていろ」と指示しました。

おばあさんは最初は「痛い」「痛い」と言っていましたが、さすってもらっているうちに落ちついて、痛みも減ってきた。ただ、抗がん剤はすでにがん研でしこたまやっていますから、いまさらやることではありません。漢方薬を出して、「終活」という言葉もありますから、「おばあさん、これから何かしたいことはないですか」と訊いてみました。

そうしたら、おばあさんは「私は生きたい」と言うんですね。

「生きてどうするの?」

「いや、ただ生きたい」

しょうがないおばあさんだなあ、とも思ったんですが、それでも「生きたい」「生きたい」と言う。子どもさんがまたすごく親孝行で、お母さんのために一緒に住んだり、マンションを借りて病院に通ったり、凄く献身的に世話をする。

それからしばらくして「田舎に戻りたい」というので、漢方薬の処方を教えて、近所の薬局でもらってくださいといって、おばあさんは田舎に戻ったんですね。

そして、しばらく来なかった。半年くらいして娘さんからメールが来たので、てっきり亡くなったかなと思ったんです。「その節はお世話になりました。母も無事亡くなりました」と書いてあるのかと思った。

ところがどっこい、「母は元気です。新しい薬があると聞いたので、治療を受けたい」というメールだったのです。それで病院に来てもらって調べたら、あれだけあったがんがみんな消えていたんですよ。

佐治――へえ、それは凄いですね。

堀江――僕はそういうことは、ままあるのではないかと思うのです。ルルドの聖水【8】ではありませんが、何かの水を飲んだり、何かに祈ったらがんが消えた、ということはありうると思う。要するに、がんを認識しない、つまり、がんで治療を受けているとか、抗がん剤を受けているとか認識しないほうが、実は体にとってはいいのではないかと感じることが多い。

佐治――それは十分ありうることかもしれません。自分が何かいやなことをやらなくてはいけないとき、「いやだなあ」なんて口走ると、どんどん気分が滅入ってきます。自分は病気で「もうだめだ」「だめだ」と言っていると、ネガティブ・フィードバックみたいなもので、本当にそうなってしまうことはあるかもしれません。

【8】**ルルドの聖水**　ルルドはフランスのスペインとの国境にもほど近いピレネー山脈の麓の町。一八五八年に一四歳の少女ベルナデッタ（一八四四―一八七九）の前に聖母マリアが出現し、泉の水を飲むよう示唆した。この泉の水を飲むことで難病が治癒したという人が現在に至るまで相次ぎ、カトリック教会も奇跡と認定。ベルナデッタはその後修道女として一生を送り、死後聖人に列せられた。現在のルルドは大きな巡礼地となっている。

堀江――「どうしてこんなになるまでほっといたんですか」と医者が呆れたという話をよく聞きますが、考えてみれば、気にしていないから放っておけるのです。医者が「がん」と言ったために、自分はこうだというレッテルが貼られる。それが体にとっては逆にマイナスになる。「知らぬが仏」というのは本当にあるんだと思います。

佐治――そうなると、「あなたはがんです。これからこうなります」と告げることの意味も変わってきますね。相手によっては、ずいぶんと違った対応が必要になりそうです。

堀江――そこなのです。前に触れた荘子の混沌は、とにかくパワーを感じさせる。自分のやりたい美、自分が見たいものを追求せよ、という強さがある。老子のタオには、何となく「人に迷惑をかけない」ような含みがあって、道徳的なにおいがします。

　僕には、薬が効いたとか長生きしたという人は、荘子的な人のほうが多い印象があります。それはつまり、医者の言うことをあまり聞かない人です（笑）。

佐治――僕は、医者の言うことをよく聞く患者なんですけれど（笑）。先生がずっと漢方薬を出してくださるから、今日も几帳面に胸のポケットにちゃんと入れています（笑）。

堀江――それは、とてもいい漢方薬ですから（笑）。

漢方薬の効能

佐治――そういえば、先生は漢方薬をよくお使いになる。東洋医学についてはどうお考えになっているのですか。

堀江――東洋医学には長い歴史があります。漢方薬は基本的に生薬という植物の成分を組みあわせて相乗効果を狙ったものですが、何千年もある歴史のなかで試行錯誤をくりかえして出てきたフォーミュラ（処方）であって、ここ五年、一〇年といったものではありません。しかし、だからといって全員に効くかといえば、そうではない。

結局のところ誰に効くかわからないから、現在の医学では、漢方薬は「当たるも八卦、当たらぬも八卦」といった扱いを受けています。

佐治――なるほど。

堀江――その反面、効く人にはものすごく効くのです。患者さんのコンディションや、精神面の状態そのほか、いろんなファクターが関係するのでしょうが、効くときには本当に驚くほど効く。下手な抗がん剤よりはるかに効くことが多い。

そして漢方薬の成分を調べると、理にかなっていることがわかります。漢方薬の大きな特徴は、ＤＮＡを守り傷をつきにくくすることなのです。われわれがアンチエイジングと呼ぶものですが、細胞がエネルギーをつくるときにできる活性酸素や紫外線によって、遺伝子は化学修飾を受け、劣化していきます。その修飾をなるべく防ぐのが漢方薬です。だから病気を治すというより、病気によってダメージを受けた体をもとに戻すといったほうがいいかもしれません。病気があると、老化というか加齢が進む。体の劣化が進む。漢方薬はそれを進まなくする。

人間はいろんな理由で病気になりますが、体にも自然治癒力がある。治癒していくときに体の劣化する部分をなるべく減らそうするのが漢方薬だと思います。その意味で、漢方は病気を治すものではない。「生を養う」と書いて「養生」という言葉をよく使いますが、漢方とは「養うもの」ですね。

佐治——まさに、そうですね。

堀江——最近もうひとつわかってきているのは、漢方薬は腸の細菌に結構効くことです。

佐治——どういうことですか。

堀江——われわれの腸のなかには、人間のＤＮＡの何千倍、何億倍という細菌がいます。これらの細菌はそれぞれ違ったＤＮＡを持って共存しています。、われわれは自分を人間だと思っていますが、実は、人間＝ホモサピエンスと、黴菌やカビなどとの共同体といったほうがいいかもしれないのです。

そうすると、健康とは何かについても考えを変えていかなくてはなりませんが、この人間と黴菌やカビとの共同体を円滑に運営するのに、漢方薬は働くのです。その反対が抗生物質で、体にとって有害な細菌を殺すと同時に、そうではない腸のなかの他の菌も殺してしまう。総体的にはメリットがあるとはいえ、まずい点もいろいろあるのです。

佐治——このふたつは相反するものなんですね。

堀江——そういう意味では、東洋の医学、東洋の文明は非常に優れているんです。ヨーロッパにはないし、中東にもないものです。

「師」業の業《ごう》

堀江――医師・教師・牧師は、みんな「師」がつきますが、師業の特徴というのは、必ずマイノリティをどこかの空間に閉じこめているのです。そして同じ講釈を垂れる。クリエイティビティがない。ただ、ぜんぶ（病院とか、学校とか、教会といった）閉じこめる場所で待っている。佐治先生のように自分からどこかへ行かれる人は異端児なんです。

　こういう人たちには共通の問題が起きてきます。医者の場合、学習指導要領や教科書に似たものとして、ガイドラインというものがある。ガイドラインの役目のひとつは標準化で、医療の水準をどこでも同じようにすることです。これはもちろん大事なことで、東京と千葉県で医療水準が違ったりすると困る。しかし同時に、おたがいを縛りあうという側面もある。

　ある患者さんはお腹を壊しているとします。お医者さんがぱっと診て、経験則から、お腹の薬でなくて心臓の薬を処方すれば下痢も治りそうだ、というインスピレーションが働くことがあります。しかしガイドラインだと、それはよくないことなのです。
もちろんガイドラインはある意味では正しい。実験的なことはやめるということです。しかし現実をいうと、ほとんどの薬は、一〇人の患者さんがいたら本当に効くのはそのうちの二～三人なんです。二～三人効く人がいることをもって「効く」と言っている。それでもとにかくガイドラインに書いてあることをしよう、書いていないことはダメ、ということになる。

佐治——僕も先生に診ていただいていますが、僕をよく理解して下さって治療していただいていると思います。「あいつに仕事を辞めさすのは無理だろう」と思って、「自由にしなさい」とおっしゃったんではないですか（笑）。

やはり治療は医師と患者の信頼関係があって、ドクターのところへ行くと何となくよくなる。頭痛がしていても、ドクターのところで話をしていたら元気になる、ということがあります。そこにはやはり数値化できないものがある。それが医療では大事だと思います。

ウィーン大学に行ったときにびっくりしたことがあります。風邪をひいて、ドクターのところへ行ったのです。「どんなぐあいですか」と訊くから、「ちょっと鼻水が出るし、熱もあって……」と言うと、「わかった」と言って「治るまで一週間かかるから診断書を書こう」という。薬を処方するのではなく診断書を出すと言って、薬はくれなかった。

それで、後日そのドクターに会ったとき、「どうして薬をくれなかったんですか」と訊ねたら、「風邪というのは少々薬を出しても治らないことはわかっているから」と言われたのです。日本ではあまりないことではないでしょうか。

堀江――そのドクターの言っていることは正しくて、結局、風邪を治す薬はないんです。病因論的にいえば、風邪はウィルスによって起き、多くの場合、重大なことにはならない。だから薬はない。

佐治――だから「静養しなさい」「休みなさい」ということになるのですね。

堀江――ただ症状を柔らげる薬はあります。日本の場合、医師も一種のサービス業なので、それが水飴であっても「何かさしあげましょう」となるのです。ただ「休みなさい」とはいわない。そこが乖離しているんですね。

患者さんにとって「休むことが大事」といっても、休むことの社会的な意味というか、会社や世間との関係もありますから、アリナミンでも出して「がんばって働け」ということもありえます。生物学的に見るならそれは問題なんですけれども。

佐治——僕はびっくりしました。それまでそんなことを言われたことはなかった。いま先生がおっしゃったように、国民性というか、社会や組織のなかでの位置づけが日本と外国では違うということなんでしょうね。

郵便はがき

101-0021

お手数ですが
切手をお貼り
ください

千代田区外神田
二丁目十八―六

春秋社
愛読者カード係

＊お送りいただいた個人情報は、書籍の発送および小社のマーケティングに利用させていただきます。

(フリガナ) お名前	(男・女)	歳	ご職業
ご住所 〒			
E-mail		電話	

※**新規注文書** ↓(本を新たに注文する場合のみご記入下さい。)

ご注文方法 □**書店で受け取り**		□**直送(代金先払い)** 担当よりご連絡いたします。	
書店名	地区	書名	冊
			冊
取次	この欄は小社で記入します		冊
			冊

ご購読ありがとうございます。このカードは、小社の今後の出版企画および読者の皆様とのご連絡に役立てたいと思いますので、ご記入の上お送り下さい。

〈本のタイトル〉※必ずご記入下さい

●お買い上げ書店名(　　　　　地区　　　　　　　　書店　)

●本書に関するご感想、小社刊行物についてのご意見

※上記感想をホームページなどでご紹介させていただく場合があります。(諾・否)

●購読新聞

1. 朝日
2. 読売
3. 日経
4. 毎日
5. その他
(　　　　　　)

●本書を何でお知りになりましたか

1. 書店で見て
2. 新聞の広告で
(1)朝日 (2)読売 (3)日経 (4)その他
3. 書評で (　　　　　　　　紙・誌)
4. 人にすすめられて
5. その他

●お買い求めになった動機

1. 著者のファン
2. テーマにひかれて
3. 装丁が良い
4. 帯の文章を読んで
5. その他
(　　　　　　　　　　)

●内容

□満足　□普通　□不満足

●定価

□安い　□普通　□高い

●装丁

□良い　□普通　□悪い

●最近読んで面白かった本　(著者)　　　　　(出版社)

(書名)

㈱春秋社
電話 03-3255-9611　FAX 03-3253-1384　振替 00180-6-24861
E-mail:aidokusha@shunjusha.co.jp

第3章

波瀾万丈のライフヒストリー

人生の転機は予想外

佐治博士の原体験

佐治——僕は、「シューベルト【1】の子守歌」を聴くと、何かすごく懐かしい気持ちになるんですね。

Schlafe, schlafe, holder süßer Knabe,
leise wiegt dich deiner Mutter Hand,
sanfte Ruhe, milde Labe,
bringt dir schwebend dieses Wiegenband.

ねむれねむれ　母の胸に
ねむれねむれ　母の手に
こころよき　歌声に
むすばずや　楽しゆめ
（内藤濯訳）

【1】シューベルト　フランツ・シューベルト。一七九七―一八二八。古典派とロマン派の過渡期に生きたオーストリアの作曲家で、特に歌曲で有名だが、交響曲や弦楽曲、ピアノ曲などでも優れた作品を残している。シューベルトの子守歌は一九歳のときの作品（作詞者不明）。上記の内藤濯氏の訳で歌われることが多いが、原詞をより忠実に訳すと、次のようになる。

お眠り、お眠り、かわいい坊や。
お母さんの手がやさしくゆらしています。
おだやかな安らぎ、静かな憩い
このゆりかごが　はこんでいるのです。
（佐治晴夫訳）

「お母さんの手に包まれて、たゆたうように休みなさい」という歌詞なんですが、どうしてこの歌を聴くと、なんとも言葉にしようない懐かしいような感情に包まれるのか、幼少のころからずっと不思議でした。シューベルトの子守歌は僕にとって何か特別なものらしいという想いですね。そして、高校時代に、母から乳児のころのことを聞かされて、その理由が明らかになっていきました。

僕は東京の生まれです。当時の東京には、商家のお嬢さんなんかが他家に花嫁修業に行くといった習慣がまだ残っていて、僕が赤ん坊のときも、お菊さんという女性が僕の子守として住み込みで僕の世話をしてくれていたのだそうです。青梅街道沿いの「桔梗屋」という染物商のお嬢さんだったようです。年のころは十代の前半で、いわゆる文学少女だったようです。そのお菊さんが「シューベルトの子守歌」を歌っていたというんですね。

とはいえ、まだ昭和一〇年代のことですから、高等教育も受けていない女の子がなぜシューベルトの歌曲を知っていたのか、その謎は深まるばかりでした。そんななかで、出会ったのが新美南吉[2]が書いた『手袋を買いに』という童話です。ちょうどそのころに出版されていたのです。

キツネの親子が朝起きてみると、雪がいっぱい降っている。「お手々がちんち

【2】**新美南吉**　一九一三―一九四三。児童文学作家。若くして亡くなるまでに、「ごん狐」「手袋を買いに」「おぢいさんのランプ」などの傑作を残した。

んする」と子ギツネが言うので、「じゃあ、手袋を買いに行きなさい」とお母さんギツネが言う。それで子ギツネが手袋を買いに街に行った帰りに人間の家の横を通ると、「シューベルトの子守歌」が聞こえてくるんですね。「眠れ、眠れ、母の胸に……」というのが聞こえてくる。そして人間のお母さんが「森の子ギツネもお母さんギツネのお唄をきいて、洞穴のなかで眠ろうとしているでしょうね。さあ、坊やも早くねんねしなさい。森の子ギツネと坊やとどっちが早くねんねするか、きっと坊やのほうが……」と言っているのが聞こえてくる。子ギツネは急にお母さんが恋しくなって、いそいで洞穴のほうに跳んで帰りました、というお話です。お菊さんはたぶんこの童話を読んでいたんじゃないでしょうか。ふと、それに気づいたのです。

それにしても、歌詞はともかく、旋律はどこで覚えたんだろうかという疑問が湧いてきます。以下も、推測にすぎないのですが、当時、日本人で初めて国際的な名声を得ていたオペラ歌手、三浦環[3]さんが、「シューベルトの子守歌」のレコードを出していて、しかもＮＨＫ、当時のＪＯＡＫ、東京第一放送でも歌っていたことがわかりました。彼女は、一九一五年、二万人を収容できるロンドンのアルバートホールで、プッチーニのオペラ「蝶々夫人」で大好評を博し、作曲者の

【3】**三浦環**　一八八四―一九四六。国際的に活躍した最初の日本人オペラ歌手。東京音楽学校卒業後、海外に留学し、一九一五年、イギリスでデビュー。ヨーロッパ、アメリカ各地で出演し、大好評を得た。最大の当たり役はプッチーニの「蝶々夫人」。日本でも何回か公演を果たし大ヒットしたが、一九三五年の帰国以降は日本に居を構え、オペラへの出演のほか、シューベルトの歌曲のリサイタルやレコード録音も行った。

プッチーニからも「世界最高のマダム・バタフライのプリマドンナ」と絶賛されたという人です。おそらく、その歌声をどこかで聴いていたのかもしれません。三浦環さんは、一九四六年に亡くなっていますが、その年、入院先の病室で、最後に歌ったシューベルトの子守唄の録音を、のちにＮＨＫラジオで聞いた記憶があります。

その後、お菊さんに逢いたいと思いながら、果たせずに今に至ってしまいましたが、幼児期にそういう音楽の洗礼を受けてしまったことが、僕がクラシック音楽に惹かれる要因のひとつになったのかもしれないと思うことがあります。

戦争と宇宙とパイプオルガン

佐治——昭和一六年、小学校に入る年に、小学校がなくなって、「国民学校」になりました。二年生になったとき、いまでもよく覚えていますが、昭和一七年四月一八日のお昼過ぎでした。アメリカ、イギリスを相手にした太平洋戦争がはじまったのが昭和一六年の一二月八日でしたから、開戦からわずか四か月後のことです。学校の帰りに突然、閑静な住宅街の真上をパイロットの顔が見えるくらいの超低空で飛んでいく飛行機が見えたんです。
　いまでも夢だったのかと思うことがあるくらいで、飛行機にどういうマークがついていたのかも定かでなく、何となく日本の飛行機のような気もしたけれども、あとから考えてみると、当時の米軍機のマークは日の丸に近い模様をしていましたので、たいして不審感もなかったんですね。

堀江——そうなんですか。

佐治——ただ、その飛行機の尾翼に特徴がありました。通常の飛行機の垂直尾翼は、胴体のうしろに垂直に立っていますけれど、その飛行機は胴体の上にではなくて、水平尾翼が横にひろがっていて、その両端にふたつ、H型に小さい垂直尾翼が立っていました。はじめて見る飛行機でした。実は、それはアメリカの陸上爆撃機B-25だったんです。

堀江——へえ。

佐治——B-25というのはもともとアメリカ陸軍の爆撃機で、航空母艦からの発進は考慮されていなかった爆撃機です。しかし真珠湾を奇襲攻撃されたというので、アメリカ国内では、日本本土空襲の機運が激昂していて、本来は航空母艦に載せることができないB-25を無理やりに航空母艦に載せて、航続距離が足りないので片道分だけの燃料で、帰還できない不時着覚悟での特攻攻撃【4】だったのです。当時の日本は、勝利、勝利で提灯行列などしながらお祭り騒ぎに明け暮れていましたから、この奇襲攻撃を演習だと思い込んでいた人たちも多数いたようです。

そのとき高射砲の発射音が鳴りました、僕はもうびっくりして、何が何だかわからないうちに家に駆けこんだとき、空襲警報が鳴った。後に、この飛行戦隊の中の一機が中国大陸で捕獲され、その残骸が靖国神社に運ばれて見学に行かされた記憶があります。

それから、まもなくのころだったでしょうか。突如、担任の先生が「日本には二台しかないプラネタリウムというものの一つが東京に一台ある。ぜひ、見ておくように」と、私たち児童を有楽町にあった東日天文館のプラネタリウムに、連れていってくれたのです。戦時中でも、星の知識は、戦争に役立つということで営業は続けられていました。そこで、見上げた星空の美しさと言葉にはならない宇宙の神秘に釘付けになりました。その担任の先生は、後に文学賞を受賞されることにもなった方で、戦争中にもかかわらず、宮澤賢治【5】の作品を読み聞かせたりしていた平和主義者で、だからこそ、万人に公平な宇宙の神秘を、今のうちに子どもたちに見せておきたいと思われたのかもしれません。この体験は、私にとっ

【4】**不時着覚悟での特攻攻撃**　第二次世界大戦中の一九四二年四月、アメリカ陸軍航空軍が航空母艦からの発進によって行った最初の日本本土爆撃作戦。ドーリットル中佐を指揮官とするB-25一六機が航空母艦二隻から発進し、東京、横浜、神戸など日本各地に爆撃を敢行、中国大陸に不時着したもの。指揮官の名からドーリットル空襲と呼ばれる。

【5】**宮澤賢治**　一八九六-一九三三。岩手県花巻市出身の詩人・児童文学者。盛岡高等農林学校卒業。法華経への熱烈な信仰を持ち、農民に農業指導を行ったり、合成肥料の販売に奔走しつつ、詩作や童話執筆に励んだ。オルガンやチェロを嗜み、オーケストラを組織する教養人でもあった。妹トシの病没を嘆いた詩集『春と修羅』、童話『銀河鉄道の夜』『注文の多い料理店』など。

てのはじめての宇宙体験でした。

それから一～二週間したころだったでしょうか、当時、日本銀行に勤めていた父親から「まもなく日本全土は焼け野が原になるかもしれない。すると、日本には数台しかないパイプオルガンが聴けなくなるだろう。いまのうちに聴いておきなさい」と言われたんです。三越日本橋本店と日銀は背中合わせの場所でしたから、きっと聞いていたのかもしれません。それで兄に連れられて、日本橋の三越本店に行きました。

のちにわかったことですが、三越本店のパイプオルガンが、いまの場所に設置されたのは一九三五年（昭和一〇年）だそうで、僕が生まれた年です。そして時折、バッハやフランクなどの本格的なオルガン曲が、当時のＪＯＡＫ、つまりＮＨＫのラジオ第一放送で全国に流されていたようです。

当時の三越は一階には売り場がなく、カテドラルのようなホールになっていて、そこから大きな階段で昇った二階のバルコニーにパイプオルガンがありました。現在と同じ場所です。そこで、オルガンを奏でていたのは、足にゲートルを巻き、腰には弾装ベルトをしめ、背中には鉄兜を背負った戦闘服姿の青年で、演奏されていたのは、「軍艦マーチ」とか「海行かば」、落下傘部隊への讃歌「空の神兵」

などでしたが、そのあいまに、この前プラネタリウムで見た星空のどこからともなく降ってくるような透明感あふれる不思議な音楽が流れてきたんですね。そのとき兄が「あれがバッハだからね」とささやいた。それが、パイプオルガンとバッハとの初めての出会いでした。

それに加えて、兄の国語の教科書にのっていた「月光の曲」という一文には、強い印象をうけていました。もちろん、作り話なのですが、「月の明るい夜、ベートヴェンが散歩していると、みすぼらしい家の中からピアノの音がきこえてきた。思わず、入っていくと全盲の少女が弾いていた。ベートーヴェンは、少し手ほどきしていたそのとき、ランプの灯が消えて、ピアノの鍵盤いっぱいに月光がさしこみ、その美しさから強いインスピレーションを受けて即興的に作曲されたのが、ベートヴェンのピアノソナタ一四番『月光』だった」という内容です。

こんな体験もあって、音楽の道に淡い憧れをもちながらも、星空の美しさも忘れられず、中学二年のときに、湯川秀樹博士が、日本人初のノーベル物理学章受賞者になったこともあって、数学と物理の道に進むことになりました。

その後、たまたま、NASAとの関わりができて、ボイジャー計画のスタッフと知り合いになり、太陽系外惑星探査機ボイジャーに、地球文明のタイムカプセルとして音情報を搭載することになったときに、まず、バッハをと提案することになったわけです。打ち上げは一九七七年ですから、三越ではじめてパイプオルガンのバッハを聴いてから、三五年後のことになります。

　これまでお話しした東京初空襲からボイジャー探査機までの経緯は、コスモプラネタリウム渋谷の番組「宇宙のカケラ――星から生まれた私たち」に描かれて、二〇二〇年三月まで、四〇分番組として毎日、上映されています。最後の場面は、今年の四月、桜が満開の深夜、三越本店で、初めて聴いてから七七年ぶりにそのオルガンでバッハを弾いたところでフィナーレになります。気恥ずかしい気もするのですが、感無量でした。

　ところで、ボイジャーに搭載された地球文明のタイムカプセルとして、音が選ばれた理由は、いずれかの未来に、はるか彼方の地球外知的文明（ＥＴ）に遭遇したとき、なんらかの意思疎通が可能になる手段が、音と数学だという仮定に基づいています。それは、われわれ哺乳類でいえば、五つの感覚器官のなかで、もっともていねいに時間をかけてつくられたのが聴覚なので、音が宇宙のなかではある種の普遍性をもつかもしれないということと、数学における真理は、おそらくどこの宇宙にいっても通用する普遍言語であるというふたつの仮定から、数学的な構造をしたバッハが提案されたということでした。このタイムカプセルのカバーには、半減期が四〇億年以上のウラニウム二三八が時計として塗布されていますから、今から四〇億年以内に、ＥＴに捕獲されれば、いつごろどこから打ち上げられたものなのかが同定できるでしょう。

堀江――なるほど、なるほど。

佐治――こうして考えてみると、人生っていうのは、不思議なつながりで編みあがっていく織物のような気がしてきますね……。

幅広い活動の根底には

堀江――佐治先生の活動は、理論物理学にとどまらず、それよりずっと広いですね。教育でも音楽でも精力的に活動されていますが、そのはじめはどういうことだったんでしょう。

佐治――僕はもともと文系人間だったんじゃないかと思うんですよ。僕をプラネタリウムに連れて行ってくれた先生は、文学者でしたし、その先生の影響もあったんだと思いますけれど、文学にも興味がありましたね。

堀江――その先生は小学校の先生ですね。中学、高校はどうでしたか。

佐治――中学には、特攻隊に志願したけれど途中で飛行機が故障して帰還し、何ともやりきれない気持ちになったという先生がおられた。担当は社会科でしたが、京都大学の哲学科出身で、中学生相手にすごい哲学の話をするんです。

　僕が中学二年か三年のころでしたか、その影響もあって、われわれはわかりもしないのに「アテネ会」という勉強会を立ちあげて、先生に顧問になってもらって、カントだのヘーゲルだの、いろんな哲学の本を読みあさりました。終戦後の物資不足で、本の頁は赤茶けたわら半紙みたいで、そこにさんざん、書きこみしていましたね。いや、ちゃんと読めるはずもないんだけれど、そういう本を手元にかかえているだけで、何か満足感のようなものがありました。

堀江――わかるような気がします。

佐治――そうしていろいろ読んだなかでいまでも覚えているのが、カント【6】が『実践理性批判』のなかで言った有名な言葉です。

　ここに、我々がそれについて長い時をかけて思念を重ねていくごとに、以前にも増して新たな感嘆と畏敬の念をもって我々の心を満たし続ける二つのも

【6】カント　イマニュエル・カント。一七二四―一八〇四。ドイツの哲学者。ドイツ観念論哲学の祖とされ、人間の認識能力の限界を確定しようという批判哲学を展開。認識論、倫理学、美学、宗教哲学など幅広い分野において今日まで強い影響を及ぼしている。代表作に『純粋理性批判』『実践理性批判』『判断力批判』『永久平和のために』など多数。

のがある。それは、我が上なる星空と、我が内なる道徳律である。（カント『実践理性批判』岩波文庫より）

この言葉にひどく心を打たれるような思いがしました。

そういえば、東京物理学校出身の先生もいました。たしか、あだ名が「オゾン」だったかな。いまの東京理科大学の前身で、当時は、誰でも入学できるのですが、毎年どんどん試験で落として、最後には何人も残らないという厳しい教育をして、非常に優秀な理科の先生を養成していました。そこを出た先生にとてもかわいがられて、僕は理科部というのをつくり、そこで、当時口径六五ミリだったかの天体望遠鏡を買ってもらいました。たしか、五藤光学の「ウラノス号」とかいう経緯台の望遠鏡で、僕が中心になって夜の校庭で星を見たりしていました。

小学校、中学校と、とてもいい先生には恵まれました。けれど、戦争中ですから、東京から九州に疎開をすることになり、そこではじめて殴られるという経験もしたんです。殴られると、たしかに目と鼻あたりから紫の火花が散るような経験でした。

戦争のただなかで

堀江――どういう状況だったんですか。

佐治――東京から来た子どもっていうのは、言葉も違うし、どうしても学力も高いので、生意気だっていう印象を疎開先の地元の子どもには与えたんでしょうね。いまなら本もたくさんありますし、テレビもあるので都会と地方の学力差はあまりないのですが、当時は東京の子と九州の子では完全に学力差がありました。東京からやってきた子は何もしなくても成績がいい。そうすると、やっぱりおもしろくなくなりますよね。

堀江――具体的な状況が知りたいんですけど、「ちょっと体育館の裏に来い」とかいうやつなんですか。

佐治――そう、そう、本当にそうなんです（笑）。これは終戦後の中学時代ですが、上級生から体育館裏に来いといった呼びだしを食らってしまった。ところが、そのとき僕を応援してくれた友人が、当時中国から日本に戻ってきた、いわゆる引揚者の子どもで、学年は同じですけれど、引き揚げのごたごたで教育を受けられない時期があって、私より二歳年上でした。

堀江――なるほど。

佐治――彼も不良というかワルと目されていたんですが、僕にはとてもよくしてくれて、喧嘩のやりかたとかいろいろ指南してくれたんです。もちろん喧嘩の仕方を習ったからって、すぐに実践できるものじゃないんですが（笑）。

彼はのちにヤクザになりましたけれど、いまでも覚えているのは、当時もいつも短刀を持っていたことです。束に包帯を巻いていましてね。「人を突くときは、こうやって突かないと自分の手も切ってしまうんだ」といって、見せてくれたものです。

堀江――プロフェッショナルですね。柏原兵三[7]に『長い道』（中公文庫）という疎開先の人間関係を描いた小説がありますね。

佐治――そういえば、ふたたび戦争中の東京での話になりますが、三越でオルガンの音色を聴いたり、ベートーヴェンの月光にまつわる作り話を読んだこともあって、音楽への憧れが高まり、レコードで音楽を聴くようになっていました。といっても、再生装置は、ゼンマイ駆動の野外に持ち出せるポータブルタイプの蓄音機です。東京初空襲のあと、庭のある家には、防空壕をほらなければならなく

【7】**柏原兵三**　一九三三―一九七二。千葉市出身の作家・ドイツ文学者。一九四四年四月から富山県に疎開したおりひどいいじめに遭い、この体験を小説『長い道』にまとめた。『徳山道助の帰郷』で芥川賞受賞。カフカの『流刑地にて』などの翻訳でも知られる。

なって、空襲警報が鳴ると、蓄音機をかかえて防空壕に飛びこみます。そして、ふとんをかぶって蓄音機をだきかかえるようにしてベートヴェンを聴くんですね。そこは、真っ暗で別世界、いわゆる七八回転の雑音の多いSPレコードですが、そこから聴こえてくるベートーヴェンの月光の調べには、天空の星の世界にいざなわれるような心地よさがありました。レコードは、たしか、パデレフスキー【8】という人の演奏で、それと同じレコードには、当時から半世紀を経て、日比谷公会堂の資料室で再会しました。

　話を戻しますが、当時の蓄音機では、一回レコードをかけるたびにピックアップの針を替えなくちゃいけません。ところが蓄音機の針は鉄です。戦争中は、軍需品をつくるための鉄を確保するために、鉄の針はなくなります。それで蓄音機の針が鉄から細い竹のひごを専用のカッターで切ってつくる竹針になりました。やがて戦況の悪化とともに、本土決戦のときには竹槍を使うという機運が高まり竹針も姿を消します。竹も武器の材料となったのです。

堀江――なるほど。

佐治――さあ、どうしよう(笑)。そんななかで、兄と考えだしたのが葉書です。葉書の角を口にくわえて、もう一方の角を、回転しているレコードの溝にあてる

【8】パデレフスキー　イグニツィ・ヤン・パデレフスキー。一八六〇―一九四一。ポーランドのピアニスト・作曲家・政治家。ポーランドがロシア、ドイツ、オーストリア＝ハンガリー帝国に分割支配されていた時代に、ロシア領だったポドリア地方に生まれる。国際的ピアニストとして成功後、パリのポーランド民族委員会のメンバーとなってポーランド独立運動に参加、第一次世界大戦後、独立を回復したポーランドの初代首相兼外相となり、パリ講和会議にも出席。その後音楽活動に復帰したが、一九三九年にドイツやソビエト連邦らがポーランドに侵攻すると、一九四〇年、ロンドンのポーランド亡命政府に参加、翌年、資金確保のための演奏旅行中、ニューヨークで客死した。

んです。そうすると、かすかな振動が歯に伝わってきて骨伝導で聞こえるんです。七八回転の録音溝の広いSPレコードだったからこそできたことでした。

堀江――まさにモーツァルトですか。

佐治――そんなことまで考えるくらい、音楽には限りない憧れをいだいていて、それがボイジャーにまでつながるって、人生って面白いですね。

　それから、今でも忘れられないのは、九州上空の体あたり攻撃を目撃したことです。米軍のB-29が、美しい飛行機雲をはきながら高高度を悠々と飛んでいく。そこへ小さい蚊のような黒い点がすうっと吸いつくように近寄るんですね、すると小さな小さな火がぱっとともって、そこから白い煙がぱらぱらと落ちて、B-29は白い燃料を吹きだしながら徐々に高度を下げていく。そういう光景を目撃したことがありました。

　そのとき子どもごころに、「やった!」と喜んだものですけれど、考えてみれば、迎撃機のパイロットは亡くなっている。B-29も墜落して搭乗員は亡くなったかもしれない。たいへんなものを見てしまった、あのとき「やった!」と喜んだ自分は何てことをしてしまったんだ、という自責の念が、いまだに大きなわだかまりになって、心の深いところに沈潜したままです。戦争には存在する敵、味方も、人間としては、まったくその区別はない、ということを子どもごころに実感した経験でした。

堀江——終戦のときはどんな感じでした？

佐治——終戦のときは疎開先の九州でした。小学五年生（正確には国民学校）の夏でした。ものすごく暑い日でした。ところが、セミが全然鳴かなかった。

いまでこそラジオはどこでも聴けますけれど、当時は電波状態が悪くて、ラジオが聴けるところはそんなに多くなかった。疎開先のラジオは雑音が多くて、聞き取れなかった。何か放送があるらしいというので、まわりのみんなは集会所の方に集まっていましたね。僕自身はそのラジオ放送を聞くことはできなくて、他の人から「戦争は終わったんだ」と聞いただけでした。やがて、兵役にとられていた兄が、軍服を着て、ゲートルまいて、大きな背嚢を背負い、その上に軍隊の毛布をまるめて、突如、帰ってきました。今おもえば、最近のテレビ番組にでてくるような光景でしたね。疎開する前の東京の食料不足は、ほんとうにたいへんで、空腹で夜、目がさめるのがつらかったですね。

戦争のあと

佐治——戦争が終わったあとは、疎開先の九州でそのまま中学に行くことになって、そこでいじめがあったことは、さきほどお話ししたとおりですが、そのうちに、例の体育館の裏でぼこぼこにされたお返しがしたくなりましてね。東京っ子の意地みたいなものですね。卒業式を終えて帰る上級生を待ち伏せ襲撃したことがありました。

学校からの帰り道に川があるんですよ。僕は有志を募って川岸のところに隠れて待機、卒業したばかりの上級生が通りかかったそのとき、「それ、かかれ！」で、いっせいに飛びかかって川にたたき落とした。そのときは九州でもずいぶん寒くて、川には氷が張っていました。そこで、「もしも」に備えて、救助用の竹竿を用意しましたけどね。

堀江——仕返しはしたけれど、それなりに人道的だったんですね（笑）。

佐治——そのときはじめて職員室で正座させられました。僕は首謀者で、しかも卒業生を送る送辞を読んだ張本人でしたから、反響も大きかったですね。佐治が職員室に座らされているというので、在校生やクラスの女の子たちが、かわるがわる見物に来るのが、少々いやでしたね。どういうわけか、上級生の仕返しがなかっただけほっとしました。正直言って、仕返しは怖かったですね。まだ、あのころは喧嘩の作法みたいなものが生きていたような気がします。

堀江――東京に戻られたのはいつですか。

佐治――高校までは九州にいて、大学から東京に戻りました。防空壕があった東京、杉並の家は、空襲にはあわずに、そのまま残っていましたが、空襲で焼け出されて家を失った三家族の方々に貸し出していて、そこへ戻ることになったんです。しばらく四世帯が一つ屋根の下に住むことになりました。

本田実先生の思い出

佐治――僕が星空の美しさにめざめていたころ、戦前戦後を通して、世界的な彗星探索家として知られていた方に本田実【9】さんという方がおられて、子どもごころにたいへんな感銘を受けて、岡山県倉敷まで会いにいったことがあります。終戦後のことですが、列車を乗り継いで十数時間かかったと思います。

【9】**本田実**　一九一三―一九九〇。天文家。八東尋常高等小学校卒業。独学で天文観測をはじめ、その後、京都大学の花山天文台長・山本一清の指導を受ける。福山市の黄道光観測所勤務を経て、倉敷天文台長。一二の彗星と、一一個の新星を発見。吉川英治文化賞、フランス天文台一〇〇周年記念賞などを受賞。また保育園「若竹園」園長も務めた。

堀江――本田彗星で有名な方ですね。

佐治――ええ。倉敷天文台というところにおられると聞いて、そこを探しあて、会いにいったのですが、誰もおらず、本田という表札もない。途方に暮れていましたら、鍬を担いだおじさんがやってきた。

「本田先生のお宅はどこでしょうか」

と訊きますと、

「本田は私ですが」

僕は、白衣を着て博士然とした人物が出てくると思っていたので一瞬、目をうたがった記憶があります。彗星、新星、ふくめて二十三個も発見していた大観測家でしたからね。そのときの私の「どうして本田先生は星をお好きになったんですか」という問いかけに対しての答えは、「星はお金持ちの人にも貧しい人にも、誰にでも同じ姿を見せてくれるでしょ」でした。子どもごころにも、すごいことをいわれる人だと、頭をたたかれたような衝撃を受けたのを覚えています。

その後、本田実さんは、瀬戸内海の「愛生園」というハンセン病の隔離施設に天文台をつくられましたね。ハンセン病といえば、つい最近まで完全に世間からは隔離されていて、肉親とも会うことができず、一生、家にも帰れないだろう人たちに星を見せていたんです。そこに収容されていた方々は、どういう気持ちで星を見上げていたのか、想像するだけで胸が痛む話です。

愛生園にはいまでも天文台の跡が残っていると思います。それに協力したのが京都大学の天文学研究を率いていた山本一清[10]博士です。余談になりますが、当時、東大と京大はプラネットを日本語でどう呼ぶかについて議論していたようですね。東大派は「惑星」と言い、京大派は「遊星」って言っていたようですが、その名づけ親は山本一清先生だったようです。

堀江――「遊星」といえば、「謎の遊星X」とか、そういう感じですけどね。

佐治――本田先生は戦時中、南方戦線にもいっておられたようです。僕が大人になってからお会いしたときにお話を聞かせていただいたのですが、招集されて、南方のマレー半島やニューギニアのような最前線まで行かれた。そのときも単眼鏡を持っていって、戦場で彗星を探して、いくつだったか発見されています。

「よくあの戦場のさなかで、彗星を探索されましたね」とお訊きしたことがあります。そのときの本田先生の答えは「私が彗星を発見すれば、日本の新聞でも報道されるでしょう。そうすれば、私の無事を両親に知らせられますからね」でした。僕にとって衝撃的な話でした。

【10】**山本一清**　一八八九―一九五九。天文学者。理学博士。京都帝国大学理学部教授時代、民間人も天文観測ができる施設が必要との信念から、倉敷天文台、黄道光観測所などの設立に関わる。京都大学花山天文台初代台長。著書に『星座とその伝説』がある。

パイプオルガンを弾いてみる

堀江——佐治先生は物理学を研究される一方で音楽もされて、ピアノもお弾きになれば、オルガンもお弾きになります。特に、オルガンに惹かれたのはどうしてですか。

佐治——ひとつにはやはり、三越でパイプオルガンを聴いたことが大きいですね。

それと、もちろん、ピアノも大好きなのですが、ピアノをたしなむ人は、わんさといますよね。しかし、パイプオルガンを弾く人は少ない。ピアノのように自宅にパイプオルガンを持っている人など、ほとんどいませんからね。それに加えて、オルガン演奏の場合は、楽譜を見て弾くのが通例、なぜかといいますと、曲想をつくるためのストップ[11]（音栓）のオンオフなどがすべて書き入れてあるからです。そのときによって、同じ曲でも、音色を変えて弾いたりしますからね。実は、歳をとってくると、暗譜ができなくなるので、大っぴらに楽譜を見て弾けるのはひとつの救いだと思ったんですね。それに、足鍵盤もあるので、目と手と足を同時に使わねばならず、認知症予防にもなると思いまして……だからオルガンを弾い

【11】**ストップ**　パイプオルガンの音色を決定するための装置で、伝統的には、その音色に相当するドアノブのような形のレバーを押しこんだままだと、ふいごから流れてくる風がとめられて無音であり、レバーを引きだすと風が通って音が鳴る機械的な仕組みであった。現在では電気仕掛けで動き、ボタンや電気スイッチで操作するものも多い。

てみようと。しかし、これは、当然のことながら、あまりにも安易すぎる発想でした。(笑)。

堀江――しかしオルガンには足で弾くペダル鍵盤もあるし、ストップもいろいろあって音色も豊富です。どうやって勉強されたのでしょう。

佐治――最初にオルガンにふれたのは、東大の物性研究所から松下電器の研究所を経由して、玉川大学の教授になったときです。というより、私はクリスチャンでもないので、キリスト教会に行って、オルガンを弾かせてくださいともいえませんし、かといって、コンサートホールで練習するわけにもいかない。そこで、人生がひとくぎりついた時に、パイプオルガンがあって、おけいこさせてもらえそうな大学、ということで玉川大学を選んだのです。

その後、知人にさそわれて宮城県初の県立大学を創設するというプロジェクトに関わることになったのですが、仙台という街には、パイプオルガンがたくさんあると聞いて、それならばと、大学つくりに協力することにしたのです。

そこで、まず東北学院大学に大きなすばらしいオルガンがあるというので、そのオルガン講座を受けさせてもらえるか、打診しました。そうしたら、受講には試験があるっていうんですね。でも、ボイジャーがらみの話をしたところ、特別の措置ですよ、ということで、形ばかりの試験演奏をして、講座を受けることになりました。

そして幸いなことに、そのとき設立されたのが県立宮城大学なのですが、その隣に仙台白百合学園というカトリックの学校があって、そこのロザリオのマリア聖堂には、小ぶりですが、すばらしいオルガンがあったのです。たまたま、そこの校長先生をしておられた当時、すでに高齢になっておられたシスターとお知り合いになり、そこでも練習させていただき、後に、宮城大学の授業も、その礼拝堂を借りて行うという贅沢きわまる講義時間をもつことができました。シャルトルブルーのステンドグラスに彩られて、美しいマリア像のある礼拝堂でしたから、学生たちは、その雰囲気に飲まれたのか、私語ゼロの講義が実現しました。

堀江――ピアノとオルガンでは弾きかたはだいぶ違うものなんでしょうか。

佐治――そうですね。まったく違いますね。ピアノは鍵盤から指を離しても音を持続させることはできますが、オルガンは、鍵盤をおさえているときにしか音がでません。しかし、演奏の基本は、やはりピアノが弾けなければなりません。

堀江――何段もある鍵盤をどう弾くか、音色をどう変えるか、そのあたりはどう学ばれたのですか。

佐治――それをレジストレーションっていいますが、プロとアマチュアの違いが歴然と出てくるところですよね。プロは、どのストップを引いて、どのパイプを鳴らせば美しく響くかを熟知しています。僕らのような素人は経験がない。将棋や囲碁と同じです。ですから素人は、まずとにかくあてずっぽうでやるしかない。

　でも、音色の組みあわせにもちゃんと定石のようなものがあって、指南書には書いてあります。ただ、オルガンというのは、たとえば、「フルート8フィート」[12]と書かれたストップを使っても、製作者によってまったく同じパイプをつくれるはずはないのですから、そのオルガンにしかだせない音になっています。ピアノやフルートは、音の良し悪しを別にすれば、どのピアノでも同じ音ですが、オルガンは違います。逆にいえば、それがオルガンの特徴でもあるのですね。僕が練習で弾いているとき、オルガンの先生が「これを入れたらいいですよ」「これをなくしましょう」ってストップを操作すると、まったく見違えるような音になります。

　つまり、オルガンの魅力のひとつは、同じ曲であっても弾く人それぞれの特徴が顕著にでることです。ピアノであっても演奏者によってまったく音のニュアンスは違いますが、乱暴な表現をしてしまえば、猫が押しても人間が押しても出る

【12】**フルート8フィート**　パイプオルガンにはさまざまな音色が出せるよう多様なパイプが備わっている。フルート8フィートは、音色がフルートのような柔らかい木管の響きで、記譜音と実際の音が一致するパイプの長さ（Cの音のパイプの長さが8フィート）であることを示す。

音色は同じなんですね。オルガンの場合はそうじゃない。同じ人が同じ曲を弾いても、どういう場所で、どのオルガンで、どういう気分で弾くかによって、すべて違う。とてもバラエティに富む演奏になるのです。

堀江——先生が最初に三越でオルガンをお聴きになってから、いまやご自分で音色も決め、演奏もされるようになったというのは感慨深い。

佐治——前にもお話ししましたが、コスモプラネタリウム渋谷の番組に使うための収録で、このあいだ三越のオルガンを弾かせてもらいましたが、最初に同じオルガンの音を聴いてから七七年ぶりでした。でも、ストップは違っていたでしょうから、僕の音での演奏だったという感慨はあります。

堀江——佐治先生のこれまでのお話をおうかがいすると、スピリチュアルなだけではなくて、いろんな出来事を本当によく覚えてらっしゃるし、波瀾万丈ですね。

小説家志望の父

佐治——僕は堀江先生のライフストーリーもぜひお聞きしてみたいですね。私には想像もできないご経験もおありだろうと思いますから。

堀江――私自身は、生まれは東京なんです。親父が変わった人間でしてね。父の両親、つまり私の父方の祖父母は、父が小さいころに亡くなったので、父は親戚、叔母にあたる人の家で育ったんです。父の両親が亡くなったのは結核で、その後、父の兄も結核で亡くなったものですから、父は結核への恐怖がものすごく強い人でした。図書館から本を借りてきても、ぜんぶ日光消毒をしてからでないと読まないほどでした。

佐治――そうですか。なにか、わかるような気もします。

堀江――自分の健康に対する不安もあったのでしょう。

　父は東大に入りまして、本人いわく成績もよかったそうですけれど、いいところに就職できなかった。私としては当人のキャラクターもだいぶ影響しているのではないかと感じるんですが、本人の言うには、当時は東大卒といえども父母がいないと最終で落っこちてしまうんだ、ということでした。父がまた誇り高い人間だったこともあって、日銀とかそういったところばかり受ける。いつまでたっても就職が決まらない。

　そうするうち当時の東大法学部の教授に宮澤っていう民法の専門家がいまして、その教授が心配して父に就職を斡旋してくれたんです。ただ、その会社はそのあとすぐ経営不振に陥って、他の会社に吸収合併されてしまった。
もともと本人には小説家になりたいって思いがひそかにあったそうで、そこで一念発起して、それまで東京都内に住んでいたのに、突然、家族――僕と妹と母親――を連れて、千葉の九十九里に引っ越した。それがまた、僕の小学校の入学式の前日でした。それまで東京の小学校に行くもんだと思ってたら、突然、明日から田舎の小学校に通うことになった。でも、記憶をたどってみても、僕自身がそれを不思議に思ったり、残念に思った形跡がないんです。子どもっていうのは環境に順応するもんだなと思います。

佐治――そういうものなんでしょうね。

堀江――九十九里の町は上総一ノ宮といって、もともとは殿様がいた町で、明治時代には西の大磯と東の一ノ宮って並び称されていたそうです。東郷平八郎[13]元帥の別荘とか、明治の総理大臣の別宅とか、芥川龍之介[14]が逗留した旅館とかありまして、何か文化的な素地があったように思います。
僕も親父の影響もあって本は好きで、小学校のときから志賀直哉[15]なんかを読んでいました。文学的には若干早熟だったかもしれません。
そうするうちに世の中は高度成長期。父親は小説家になるって言っていたんで

【13】**東郷平八郎**　一八四八―一九三四。海軍軍人。薩摩出身。戊辰戦争では宮古湾海戦に参加。その後イギリス留学し、海事および国際法を学ぶ。日露戦争では連合艦隊司令長官として日本海海戦を指揮し、ロシアのバルチック艦隊を撃破した。最終階級は元帥。

【14】**芥川龍之介**　一八九二―一九二七。東京生まれ。小説家。とりわけ短編小説を得意とし、しばしば『今昔物語』などの古典から題材をとった。代表作に「鼻」「羅生門」「蜘蛛の糸」「杜子春」「歯車」など多数。現代でも菊池寛が創設した芥川賞にその名を残す

【15】**志賀直哉**　一八八三―一九七一。宮城県生まれ。小説家。武者小路実篤たちと雑誌『白樺』を創刊し、私小説的な短編小説を多く発表。「小説の神様」の異名を持つ。代表作に「城之崎にて」「暗夜行路」など多数。

すが、原稿を一枚も書かないで投資家になるんです。株式ですね。そのころは誰がやってもうまくいくような時代でしたから、父親も若干の成功をした。それで子どもを東京の学校に入れようというので、僕は東京の中学に入ることになったんです。

佐治――お父様の期待を一身に受けていらしたんですね（笑）。

堀江――東京に行くと、やっぱり自分の言葉の訛りに気づくんですよ。友だちと遊んでいるとき訛りが出るとからかわれたりしたので、ちょっと意識してしまい、授業中に先生に当てられたとき、答えがわかっていても、訛りが出るんじゃないかと思うと、あまり喋りたくなくて、「わかりません」なんて言ってしまう。

そういうのが悔しくて、勉強したんです。中二のときでしたか、学年トップになって、「これは意外にちょろいな」と（笑）。それまで全然そんなことは思ってなかったのに、それで調子に乗ったというか、勉強がおもしろくなったんですよ。

佐治――それはすごい。

堀江――一方で小学校のときから剣道をやってたので、中学のクラブでも剣道をやって、結構いい先輩が来て指導してくれたこともあって、中三のときに東京の都大会で準優勝しました。ところが、高校になるとなかなか勝てない。「まあ、中学であそこまでできたんだからいいか」というので、高校ではひたすら勉強に勤しんだわけです。

でも学校の成績って平均点で出るんですね。だから平均点をよくしようと思ったんです。英語とか数学とか社会とか理科とか、学科はいろいろありますが、どれかを集中してやるのではなくて、バランスよく万遍なくやる。いまにして思うと、あんまりよくない勉強の仕方かもしれません。

父親は投資をしていたんで、いつも家にいるんですよ。小学校のときも家へ帰ってくると父親が待ち構えていて、いろいろと話をする。父親も話し好きな人でしたが、もともとが法学部で政治・経済が好きなので、そんな話ばかりしていて、理科的なものはまったく話題に上らなかった。

佐治——そこからどうして医学部へ行かれたのか、ということですよね。

堀江——そうですね。理科の勉強もきらいじゃなかったんですが、それはあくまで栄養バランスのとれた食事みたいなもので、英語や社会だけではなくて理科も学ばなきゃバランスが悪い、というだけのことでした。数学の問題を解いたり理科図鑑を見たりもしていましたが、心から理科や数学が好きというわけではありませんでした。自発的に何かを観察するといったタイプではなかった。むしろ文学のほうが好きでした。

親父は自分が望むところに就職できなかったことに非常にこだわりがあって、僕に強烈に言っていたのは、東大の法学部を出て、官公庁とか、日本銀行や日本興業銀行とか、そういうところへ行ってほしいということでした。県知事くらいにはなってほしかったんじゃないかなと思います。そういう価値観を持っていた。

しかし僕は文学とか社会的なものが好きでしたし、そもそも思春期になると親に対して反発するものじゃないですか。それで「いや、僕は社会の木鐸たる新聞記者になりたいんだ」って言うと、親父は僕がまだ大学に入ってもいないのに、「新聞記者なんてのは、ただ事象をとらえて記事に書いてるだけだ」と文句を言って喧嘩になるわけです。

医者ってすごい！

堀江――高三のときでした。母親が大塚にある癌研病院で乳がんと診断されたんです。母親は父親にそう言って、「子どもたちには黙っててね」と念を押したのに、父親はお喋りなものだから、すぐ僕らに「お母さんは乳がんだ」って言っちゃったわけですよ。当時「がん」というのは、イコール「死」です。

佐治——そうですね。

堀江——たいへんなことになったと思いました。乳がんという言葉がものすごい衝撃でした。

佐治——わかります。

堀江——不思議なことに、このとき母親がどんな顔をしてたか、どうしても思いだせないんです。ただ、当時癌研病院というのは、がん研究の最高権威です。そこで乳がんと診断され、手術の日どりも決まっていたので、手術が行われるはずだった。それなのに、どうしたことか、アメリカにいた先生が近所の板橋の病院にいて、超音波検査というものをやっていると聞きつけたので、その病院に行ったんですよ。そうしたらその先生は、

「これはがんではなくて、水がたまってるんじゃないでしょうか」

と言うのです。医学的には「嚢胞」だったと思います。そんなことは珍しいと思うのですが、その先生はぶすっと針を刺して、なかの水をちゅーっと抜いちゃった。

「やっぱり水でした」

いまになって思うと少々乱暴な気もするんですけど、とにかくそれで治っちゃった。がんではなかったんです。

僕は医者というのはすごい職業だと思いました。あんなに暗かった家が、一瞬のうちにハッピーになった。それで「僕は医者になる」って言ったんです。

佐治――そういうことでしたか。

堀江――たしかに当時一番入試が難しい大学は東大理Ⅲといわれていましたけれど、難しいから入学するのではなくて、母親のことがあって、医者という進路が腑に落ちたというか、納得したんです。

いま順天堂の医学部の入試には面接がありますが、受験生はみんな、おじいさんが病気になったから、とか必ず言うんですよ。そんなに無理して医者になる理由を見つけなくてもいいいんじゃないかと思うときもありますが、その気持ちはわからないでもない。僕も母親がそうなったときに、医者はたいへんすばらしい職業だと感じたからです。

ところが、親父は断固として反対です。医者、芸者、役者、こういう仕事はぜんぶサービス業で、「男子一生の仕事じゃない」の一点張りです。

佐治――それもすごいですね。

堀江――簡単にいえばＧＤＰに貢献しないんだというのです。

佐治――どういうことでしょう。

堀江――父親が育ったのは秋田の田舎なんですが、そのころのお医者さんは、年の暮れになると看護婦さんを連れて各家に集金に行ったらしいんです。お金のない家は、お金の代わりに大根を渡したりしていた。そんな光景が親父の目には映っていたらしい。

つまり何がしかのサービスを提供して、人におべっかを使うわけではないんだけど、へらへらして、ちょっと高級な太鼓持ちみたいな感じでお金をもらっている職業。それが医者に対して親父が持っていたイメージなんですね。

佐治――ああ、なるほど。

堀江――「いっときの感傷で一生の仕事を選ぶのは間違いだ」って親父が言うので、相当やりあったものです。いまでもよくおぼえているのは、十一月か十二月のことでしたが、僕も相当怒って興奮していたので、そのへんにあったラジオ、昔のラジオは大きいじゃないですか、それをつかんで親父に投げつけたんですよ。親父がよけたら、ラジオが畳にぶすっと斜めに突き刺さった。

佐治――ラジオが畳に刺さったんですか。

堀江——親父がとっさに避けなければ、大けがしたんじゃないかと思います。一方、母親は、僕が親父と喧嘩をしていても何にも言わなかったですね。まあ、僕も相当頭に来て医学部を受けた。あとで母親に話を聞くと、父親は東大医学部の事務室に電話して、「おたくの卒業生、みんなちゃんとやってるんですか」って訊いたらしい。事務室のほうも、「ちゃんとやっております」と答えたそうですが（笑）。

佐治——そりゃ、そう答えるでしょう（笑）。

堀江——ただ今になってそのとき親父が感じたものを考えてみますと、いま医師の働きかたとか、男女比が公平でないとか、いろいろ言われているではないですか。医師というのは、それなりに社会的に尊敬される職業のひとつかもしれませんけれど、その働きかたに何か不合理性があるんじゃないか。外から見えない部分が何かおかしいのではないか。そんな部分を僕の父親も漠然と感じていたのかもしれないな、とは思うんです。

　また父親の商売も、それまでは高度成長でうまく行っていたのに、その後の不景気で調子が悪くなってきたこともあったのでしょう。だから息子にはしっかりした組織に行ってほしいと思ったのかもしれません。医学部の場合、無給の時代が長いという問題がありましたよね。そういうことも耳にして、心配だったのかもしれません。

佐治――うん、なるほど。

堀江――それで東大の理Ⅲ、それから母親が早稲田だったので早稲田の理工、それだけしか受けないと決めたんです。慶應には医学部があるので、「そこまで言うなら慶應も受けたらどうじゃ」と親父が言いましたが、親父の言うことだからなおさら「嫌だ」と言って受けなかった。そしたら幸か不幸か理Ⅲに入っちゃいまして、そのまま医者になったというわけです。

そのときテレビに映ったもの

堀江――九十九里は非情に牧歌的ないいところでした。

佐治――牧場なんかもあるところですよね。

堀江――本当に海岸と農業地帯だけなんですよね。僕の家は田園地帯のほうにありました。僕は小学校が終わるとずっと田んぼのほうへ向かって田舎の家に帰ってくるのです。

ある意味で古い町でもあるので、農家とか商家とかいろんな人がいるんですが、父親はよそ者であるのに、何となく尊敬されている感じがありました。自転車で通るおばさんも僕にお辞儀して通るんです。いい環境で暮らせたと思いますし、よくしてもらったとも思うんですが、逆にそれを意識してしまうところもあった。それがなければ「普通にふるまう」ことができた、というのもおかしいですが、人に見られることを意識することは若干あったような気がします。だからクラスの級長にもなりました。それでも当時の家を新しくしたので、いまでも九十九里へ行くこともありますし、その小学校で同級だった友だちとも会いますよ。

佐治――いい少年時代だったんですね。

堀江――自分としては、九十九里の海を見ているのが一番の癒やしですからね。エネルギーをもらえる場所です。

小学校時代のことでよくおぼえているのは、僕が小学六年生のとき、当時の国鉄の外房線が電化したんです。それまでは、何と、蒸気機関車が走っていた。

特急列車がはじめてやってきたとき、僕たちは竹を切って、その先に日の丸をつけて、駅に行きました。特急列車が来て、ぐっぐっと止まると、運転士さんに向けていっせいに日の丸を振ったんです。そのとき、これから日本という国はどんどん発展していくだろうというエネルギーを感じましたね。

佐治――目に浮かぶようです。

堀江――そのころ各小学校にテレビが備えつけられました。ほとんどしまわれているんですが、日中国交回復で田中角栄首相【16】（当時）が北京空港に着いたときは、先生がテレビをつけて全員で観たんです。

佐治――ああ、そんなことがあったんですか。

堀江――いまにして思えば、政府なのかどこかわかりませんが、そういう指示がすみずみまで出ていたんでしょうね。

田中首相が中国の人と握手して、それは本当にすばらしい雰囲気で、いろんな理由で発展の遅れてる中国をわれわれが助けるんだっていう空気がありました。中国製の鉛筆なんてすごく粗悪だったんですけど、それを買って使ってあげなきゃ、といった気持ちが何かありました。

佐治――そういえば、先生はサーフィンをされるんでしたね。先生のサーファーライフは小学校からはじめておられたのですか。

堀江――海で泳ぐのはしょっちゅうでした。ただサーフィンをやったのは、大学生になってからです。

【16】田中角栄　一九一八―一九九三。政治家。高等小学校卒の学歴でありながら、苦学して土建会社を設立。衆議院に当選すると、郵政・大蔵・通産大臣、そして内閣総理大臣を歴任し、今太閤と呼ばれた。『日本列島改造論』を著し、日本全国のインフラ整備と産業化、地域格差の是正にとり組んだ。外交では中国との国交を回復。しかし利益誘導型の政治手法は金権政治と批判され、一九七六年にはロッキード事件の収賄容疑で逮捕、一九八七年に実刑判決。これを不服として控訴中に逝去した。

佐治――そうなんですか。じゃ、東大生のサーファーって凄かったんですね。

堀江――いや、凄くはなかったんです。大学に入ると、みんなぼうっとしているんです。そのときボート部――東大だと漕艇部というんですが――が、「ボートを漕いでモスクワに行こう」っていう怪しげなキャッチフレーズを唱えていた。漕艇部は、東大の教養学部のある駒場キャンパスの駒場会館、古い日本家屋なんですが、そこで大宴会だとかいってすき焼きパーティをやっていて、僕もそこでのせられちゃってボート部に入ったんです。そこで年間三〇〇日ぐらい合宿をして。

佐治――え？　年間で三〇〇日って？

堀江――そうなんです。漕艇部の先輩たちは、モスクワ五輪代表をめざしていて、実際日本は不参加でしたので幻のオリンピックではありましたが、東大クルーがオリンピックの代表になったのです。すごい人たちだなと驚きました。僕はとてもそこまでじゃありませんでしたが、すごい人は本当にすごい。

ただ運動ばかりやっていると、ものすごく活字に餓えてくるんですね。とにかく食べるか、活字を読むか、そういう欲求が強くなる。だからバートランド・ラッセル【17】やベルクソンといった哲学的な本を読み漁ったものです。

【17】バートランド・ラッセル
一八七二―一九七〇。イギリスの哲学者・数学者・批評家。ゴットロープ・フレーゲと並ぶ論理学の改革者であり、みずから発見したラッセルのパラドクスによる論理学の危機を救うためタイプ理論を考案。また数学は論理学に還元できるとする論理主義の立場をとった。個体の指示については記述理論を提唱。晩年には社会批評や教育論など多彩な執筆活動を行った。著作は『プリンキピア・マテマティカ』（ホワイトヘッドとの共著）『哲学入門』『心の分析』『教育論』『結婚論』『幸福論』『西洋哲学史』など多数。

佐治――僕も先生とずっとお話をしていて、ずいぶん本を読んでいらっしゃると感嘆したものですが、それがきっかけなんですか。

堀江――僕はやはり本質的には文系の人間なんでしょうね。たとえば漕艇部には、ボートを漕ぐことに対して力学的な興味を追求する人も当然いたんです。僕はそうはならなくて、ボートはボート、体は体、そして哲学的なことを勉強したいという渇望感があったんです。

医学部の教育って

佐治――でも医学部の勉強は相当たいへんだったんじゃないですか。

堀江――いや、いまは変わってきていますが、当時の医学部の勉強は、基本的にはひたすら暗記なんですよ。

佐治――そうなんですか。

堀江――暗記ばかりというのはかねがね問題ではないかと思っていることです。同時に、みんな医学部へ入っても、教養学部のあいだはほとんど勉強しないんですよ。

佐治――そんなものですか。

堀江――勉強しなくてもある程度は試験で点はとれますが、教養課程の二年間はもっと勉強させるべきだったんじゃないかという気はしますね。僕なんかボートばっかり漕いでましたから。そういう時代でした。

　医学部の勉強も覚えることばっかりで、先生も教えようって気はあまりなかったと思います。自分の研究していることをばーっと紹介して、学生は何もわからない。ほとんど教育のインタラクションがない時代です。どこの医学部も当時そうだったかどうかはわかりません。しかし東大に関しては、それが弱みになっていたと思います。一〇〇人いれば一〇〇人の力を結集するような授業は難しいかもしれませんが、そういう方向もあってよかったんじゃないか。

　僕は精神科にすごく興味がありました。ちょうど岩波書店が『精神の科学』というシリーズを出したりしたころで、たとえば統合失調症の人の発想や言葉というものは、解釈が非常におもしろいんです。ユング[18]やフロイト[19]の勉強会などにもたくさん顔を出しました。

　それで六年生の夏に、二週間くらい友だちと精神病院に実習に行ったんですよ。

佐治――どうでした？

【18】ユング　カール・グスタフ・ユング　一八七五―一九六一。スイスの精神科医・心理学者。分析心理学の祖。バーゼル大学医学部卒。一時フロイトと親交を深めるが、やがて決裂。独特の神話研究などから人類に共通する集合的無意識や元型の存在を主張した。著書に『変容の象徴』『タイプ論』『ヨブへの答え』『空飛ぶ円盤』など多数。

【19】フロイト　ジークムント・フロイト。一八五六―一九三九。オーストリアのユダヤ系精神科医・精神分析学の祖。ウィーン大学で生理学や神経細胞を研究。医学博士。神経症の研究を通じて無意識を発見。神経症の症状は抑圧された性的衝動の現れとした。また文化や宗教にもみずからの理論を適用して解明を試みた。著書に『夢判断』『トーテムとタブー』『自我とエス』『モーセと一神教』など多数。

堀江――当時の精神病院のことはうまく描写しづらいんですが、あえていえば「牧場」といいますか。どういえばいいのか。水中に海藻があって、ゆらゆら揺らいでいるじゃないですか。病院のなかにはたくさんの人がいるんだけど、薬のせいもあって、どの人もみんな揺らいでいるような感じなんです。しかもほとんどが閉鎖病棟。病院に三十年以上住んでいる人も多かった。現在は薬が発達したので、そういう人はほとんどいなくなりまして、いま精神病院に入院しているのは躁鬱病、あと実は、発達障害が多いのですが、当時の僕としては、これを仕事としてやっていけるんだろうかと考えざるをえなかったんです。

そのほかにもいくつか興味のある領域はありましたけれど、たとえば内科学は、勉強そのものはおもしろいんですが、当時の内科の先生は、ネクタイをして研究をしているんです。それなのに足にはサンダルを履いて、ビーカーやら何やらを扱っている。いや、これ、中途半端じゃないかなって思いまして（笑）。

佐治――それはちょっと不思議な光景だったかもしれませんね（笑）。

堀江――肌が合わないかもしれないと思った（笑）。

伝説のパンツ三枚

堀江――結局、卒業してどうしようってとき、友だちが救急センターというものがあると教えてくれたんです。実習でも行くはずだったと思うんですが、僕らがサボったのかどうしたのか、それまで行ってなかったんですね。で、行ってみようってことになったら、非常に情熱あふれる人ばかりなんですよ。

「俺たちが医療を変えていくんだ」

「東大病院を変えていくんだ」

という意気ごみにあてられて、「これはすごい！」というので、洗脳されちゃったわけですね。

「パンツ三枚だけ持って、あしたから来い」

と言われて、救急センターに飛びこんじゃったんです。

これがまた、当時は三六〇日ずっと毎日当直していましたから、一年間のうちに、二〇〇〇人以上の人が亡くなるのに立ち会いました。

佐治――そんなにですか。

堀江――だから、ものすごく勉強になりました。

あとでわかったことですが、救急センターというのは東大病院のいろんなところでアウトローになった人が集結した吹きだまりのような組織で、いわば梁山泊だったんです。そういう先生方ですから毎日合宿みたいなもので、仕事が終わって夜になると、みんなで鍋とか囲んで、深夜まで侃々諤々議論する。

「東大の内科の医者が偉そうなこと言っても、人の心臓がとまっても何もできない。俺たちにはできるんだ」

そんなことを毎日聞かされていると、毛沢東語録じゃないですけど、頭のなかがだんだん染められていくんです。

救急センター時代にはいろいろなエピソードがあります。中国の偉い人が東大で講演していて倒れたことがありました。それで救急センターに出動要請が来たんです、僕らも駆けつけて、内科の先生を押しのけて、いまではあたりまえになった除細動器も使って心臓を動かそうとしたけれどダメで、そのまま救急センターに連れてきて、ずっと心臓マッサージをやったのです。まず中国大使館の書記官か誰かが来たんですが、とにかくずっと心臓マッサージをやってくれというのでそのまま続けて、そうしたら中国大使が来て、こう言った。

「この人は中国にとって非常に大事な人なんで、脳移植をしてくれ。この人の脳を誰かの体に植え替えてほしい」

佐治――ええっ？

堀江――日本の科学ならできるはずだ、って言うんですよ。

佐治――それはまた……。

堀江――僕らも唖然としました。全然現実的な話ではないんですが、「脳移植してくれ」「できません」という押し問答が一時間ほどつづいて、そのあいだ僕らはずっと心臓マッサージをしていたんです。

　そうしたらとうとう中国大使が、

「わかりました。もう結構です」

と言いまして、僕らも心臓マッサージをやめることができました。その人の遺体は翌日、冷凍されて中国に戻ったということでした。

佐治――そんなことがあったんですか。

堀江――わざわざ冷凍したわけですから、中国に戻ってから何かされたのかもしれませんが、そのくらい当時の中国は遅れていたし、日本との科学の差は大きかったんです。

医者の魂

堀江――医者は卒業して二年くらいのあいだに医者の魂が形成されるとよくいわれますが、僕なんか、そんなならず者のなかで教育を受けたので、だいぶ影響されたところがあります。救急センターのテクノロジーはある意味医療の最先端で、いろんな機器があった。それらの治療機器を駆使して、人はこうなると亡くなるという、いわば生と死の境が実感としてわかる時期を体験できたのは貴重でした。
救急センター時代には、酒に酔って階段の上から落ちて、頭を打って脳死になった人がいましてね。よその病院に転院して半年したころ、その人が歩いてやってきたんです。

佐治――えー？

堀江――僕は一瞬、幽霊かと思いましたよ。現在と比べると脳死の基準は厳密ではなかったかもしれませんが、当時最先端のやりかたで脳死と判定された人が歩いてやってきたのですから、たまげました。

佐治――その人はどういう状態だったんですか。

堀江――脳死状態ですが、人工呼吸をつづけていて、心臓は自然に動いていましたね。だから、やっぱりわからないものなんですよ。

佐治――先生の時はもうインターン制度【20】は終わっていて、臨床研修医制度の時代なんですね。

堀江――そうです。東大闘争とか全国医学部闘争はそもそも、インターン制度がけしからんというので起こったんですよ。

佐治――先生の時代はいろんな分野で研修されたのですか。

堀江――いまはスーパーローテート方式といって、いろんな分野で臨床研修をするんですが、僕らの時代は、いきなり内科とか泌尿器科とかへダイレクトに行くんです。

ただ、医者としてはやはり全体的に知っていたほうがいいんじゃないかということになって、二〇〇四年から現在のようにいろんな科をまわる初期臨床研修制度がはじまったんです。趣旨はいいのですが、結果的には、安い労働力を提供することになるのが問題になっているんですね。

佐治――最近、研修医の方が自殺【21】をされ、労災に認定されたことがあったかと思いますが、ものすごい労働時間でしたよね。

【20】**インターン制度**　臨床実地研修制度とも。大学卒業後、一年間の実地研修をしないと医師国家試験が受けられないという制度。医師資格を持たない者が、無給で医療に携わることなどに、批判が多かった。一九四六年から一九六八年までつづいた。

【21】**研修医の方が自殺**　東京都内の総合病院に勤務していた三〇代の産婦人科の男性研修医が二〇一五年七月に自殺。二〇一六年七月、東京労働局品川労働基準監督署が労災と認定した。研修医は二〇一〇年に医師免許を取得後、二〇一三年四月からこの病院で勤務をはじめた。自殺直前の六か月で、月に一六〇時間前後、多い月は二〇〇時間を超える残業をし、休日は五日だけだったという。また二〇一六年一月には新潟の消化器外科の女性研修医（当時三七歳）が公園で自殺した事件もあった。月平均の残業が一八七時間で、自殺直前の一か月間に休みは一日しかなく、二〇一七年に過労死として労災認定されている。

堀江――そうなんです。これは医師の働きかたに対する考えかたの問題で、大きくわけると、患者の変化はすべて担当医が見とどけて治療にあたるとするか、医師も労働者なのだから時間が来たら交替すべきか、ふたつ考えがあるわけです。治療の継続性重視か、情報を共有しながら治療を進めるチーム医療かという問題ともいえます。どちらも一長一短があります。

僕が東大の救急センターにいた一年間は、三六〇日泊まりこみでした。僕はいい勉強ができたと思っています。みんな言っていることは過激ですが、知識も豊富だし、昨日今日医者になった僕たちが「この薬のほうがいいんじゃないですか」と言ったって、普通なら相手にもされませんが、救急センターだと、それが全然よくないとしても「そのほうがいいかもね」なんて言ってくれる。下のサジェスチョンもちゃんと聞いてくれる。勉強になりましたね。

救急センターは、一年間研修したあとは、各自好きな領域に行って、将来また救急医療に貢献するもよし、何か専門領域を修行するのもよしという方針でして、そのとき臓器移植が最先端医療でしたから、やはり臓器移植をやりたいと思って、ある大学に見学に行きました。そこでもたいへん歓迎してもらって、「じゃ、ここに来ます」と言ったままではよかったんですが、その大学のなかで手術室へ行ったり、研究室を見学させてもらったり、いろいろまわっているうちに、財布をなくしちゃったんですよ（笑）。これは何か縁起が悪い、と思って迷いが出た。そうしたところへ東大の泌尿器科の先生が電話をかけてきて、「ちょうど教授が代わるんだけど、今度の新しい教授は移植を専門としてるんだ。うちへ来ないか」と言ってくれたんです。おまけに「外国にも行かせてあげよう」と言ってくれた。それでぱっと泌尿器科に入ったんです（笑）。

佐治――思わぬ偶然で運命が変わっていくんですね（笑）

堀江――とはいえ、いまと違って当時の泌尿器科はマイナーでして、性病科と近い感じに思われていました。外科とか循環器科や消化器科と比べると、医療の端っこのイメージ。僕自身は腎臓移植などに興味があったのでよかったんですけれど、入ってみると、オーソドックスな人よりは変人が多かったですね。

アメリカの医学界へ

堀江――それでも「外国に行かせてやる」という約束どおりアメリカに行きました。最初は研究するために行ったんです。のんびりした時代なので、研究の仕方をまったく知らない人でも雇って教えてくれて、三年くらいすれば、かなりレベルの高い論文を出すまでになれるというのです。しかし東大は、二年間留学した人はいるけれど、三年留学した人はいない、つまり前例がないというんですね。ただ臨床医であれば、戦後すぐにフルブライト奨学金で三年留学した人がいるという。

実は大学側は、僕が臨床医なんてなれっこないと考えていたんですよ。僕は「じゃ、ひとつ臨床医になってやるよ」と勉強してアメリカで医師免許をとったんです。だから、もしかしたら、まわりの人をずいぶんいらいらさせたかもしれません。

一方、研究のほうは腎臓内科に行ったんです。当時は画期的な論文も出しました。腎臓内科の先生は、このままノーベル賞をとった先生のところで二年間、アシスタント・プロフェッサー――日本でいえば講師ぐらいですか――として勉強に行ったらどうかと勧めてくれました。破格の待遇ですし、給料もいい。

佐治――そうですよね。

堀江――泌尿器科にも出入りしていましたが、泌尿器科は「レジデントにしてあげる」と言ってくれた。当時、アメリカで泌尿器科のレジデントになるのはものすごく難しかったんです。なぜなら定員が決まっていたからです。

佐治――どういうことですか。

堀江――日本では泌尿器科の医師の定員なんかないですけれど、アメリカは泌尿器科だったら全国で二百何人と決まっていて、パイをひろげないんです。そうすると、大きな病院でもせいぜい三人くらいしかいない。そのうちの一枠をくれるというのは非常にありがたい話だったんです。

そしてアメリカのシステムだと、レジデントを修了すると専門医になる。専門医になると開業の権利ができるので、飯を食っていけるんです。医師免許があっても専門医にならないとダメなんです。

いい話だから迷っていたんですが、東大の教授は「もう何が何でも帰ってこい！」と怒っていた。人のことなんか気にしないでわが道を行くというのも、ひとつの選択肢だったかと思うのですが、アメリカに残っている外国人の医者の話なども聞いて、最終的には日本に帰ることを決断しました。それがよかったかどうかはわかりません。

佐治――本当に医療の第一線を歩いてこられたのですね。すごいご経歴ですね。

堀江――僕が内科を一緒に勉強した先生は、名門イエール大学の医学部長を一五年くらいやっている人です。とてもおもしろい人でしてね。そういう人を含め、いろんな人と出会ったのがアメリカに留学してよかったことでしょうか。

佐治――確かにいろんな分野の第一級の人たちと出会うことが、生きていく上ですごい力になりますよね。縁というものですね。

堀江――ただ僕の場合、ノーベル賞級の凄いラボで研究をするほど、サイエンスに向いているのかという点に疑問があったんです。一方、医療という部分だと、どうしても人種の問題は避けられません、そこにも迷いがありました。

ただアメリカの医療現場は、医者であれば医者の仕事がきっちり決まっていて、何をするのか非常に整理されているのです。余計なことはしなくてもいい。「何時に検査します」といえば、その時間にはすでに患者さんも横になっているし、すべての準備ができている。「じゃ検査をします。はい、じゃ終わり」。手術のあとも電話での口述《ディクテーション》でよくて、「こういう手術をして、こういう指示を出しました」というのは、ぜんぶタイピストがカルテに打ちこむんです。

佐治――そんなふうなんですか。

堀江――その代わり生産性は非常に高い。日本に帰ってくると、そのあたりの生産性はゼロになる。

幸い、そのときの東大の教授は非常に優れた人で、僕が帰ってきたら研究室をつくってくれて、それはそれで楽しかったんですけれど、その人が辞めたあとは、ヴィジョンがある教授でなく、外科技術もなかったので、僕は外の病院に行ったり、国立がんセンターに行ったり、いろんな病院を転々としました。そうするうち、四二歳で帝京大学の教授に呼ばれたんです。当時、全国最年少だったんですよ。教授になると、何でも自分でつくれるのは非常に楽しかったですね（笑）。

佐治――なるほどねえ。

堀江――でも自分が責任者として医療にとり組むと、自分が研究する場は減ってしまう。その時代にちゃんとした研究環境があったら、何かまとまった仕事ができたんじゃないかなという思いは少しあります。そして帝京大学の教授になって九年くらいで順天堂の教授の話が来た。

佐治――ちょうど帝京大学から順天堂大学に移られるころに、僕は先生とお会いしたんですよね。

堀江――そうでしたね。帝京大学も非常にいい大学でした。当時、アメリカで発達したロボット手術が日本に登場したばかりで、私もアメリカの医師免許を持っていますから、帝京大学の理事長に海外に実習に行きたいと申しでたんです。期間は二か月。いや、二か月というのはちょっとサバを読んだんです。二か月といったら値切られてひと月くらいになりそうだし、最初からひと月といったら、二週間になってしまうかもしれない。最低でもひと月は必要だと思ったので、「二か月くらい行きたい」って言った。そしたら「それなら三か月行かれたらどうですか」って言われまして。

佐治――太っ腹ですね(笑)。

堀江――さすがに三か月は長いので一〇週間ということになり、費用はすべて大学持ちで、全米の西から東へ、八か所くらいに勉強に行きました。僕が先方の医師を知っているところもありましたが、まったく知らない医療機関で、こちらからメールを出して受け入れてもらったところもあります。病院の食堂で食事したりして、何だか研修医に戻ったような、若がえったような気分で学ぶことができて、非常に楽しかったですね。

ロボット手術は戦争が生んだ

佐治――ロボット手術って、もともとどこが最初にはじめたんですか。

堀江——これはたしか一九九〇年の湾岸戦争【22】だと思います。一番の激戦地に医者は行けない。だから医師が遠隔地にいても、そこからの指示で治療できないかという発想だったんです。問題はロボットには触覚がないことです。そのために、直接触れなくても比較的大丈夫な臓器というので、前立腺とか子宮とかが最初に対象になった。ですから開発されたのは一九九〇年代くらいなのですが、日本に入ってきたのはずいぶん遅く、韓国のほうが一〇年ぐらい早く導入しているんですよ。最初はみんな、韓国に習いに行ったりしていましたね。

佐治——放射性物質をとり扱うときなんかもロボットアームを使っていましたね。

堀江——たしかにロボットアームと同じような感じかもしれません。

佐治——視覚情報が3Dになったことで進歩したところがあるでしょうね。

堀江——全然違います。そして実際にロボット治療に携わってみると、触っている感覚というのはまったくいらないんです。見ていると触っている感じになるんですよ。

佐治——なるほど。それは触った経験があればわかるということですか。

堀江——たいへんおもしろいことに、触った経験とは関係なく、なんです。

佐治——関係なく、なんですか？

【22】**湾岸戦争**　一九九〇年八月にイラクのサダム・フセイン政権は隣国クウェートに侵攻、これに対し、国連は多国籍軍の派遣を決定。アメリカ軍を中心とする多国籍軍は一九九一年一月にイラク空爆を開始し、二月には地上侵攻した。戦力差はあまりにも大きく、イラク軍は一方的に撃破され、二月中にクウェート全土を奪還、三月には暫定休戦協定が結ばれ、四月にはクウェートへの賠償、大量破壊兵器の廃棄、国境の尊重などを条件に停戦合意し戦争は終わった。戦死者はイラク側が二〜三万人、多国籍軍側は四〇〇人程度とされる。

堀江——脳を見ると、触っているのと同じ反応をしているようです。

佐治——触っているように感じるんですかね。

堀江——ええ、感じるんですね。

佐治——それでは、ロボットアームで縫ったりするときも、抵抗のようなものを感じたりするのですね。

堀江——本当はないんですけれど、見ていると、引っ張っているような抵抗を感じたりするわけです。

佐治——そんなものですか。とても興味のあるお話です。

堀江——ただし、いきなり感じるのではなくて、ロボット手術の経験数がある程度あれば、ということですけれど。

佐治——おもしろいですね。脳が世界をつくりあげているんですね。

堀江——もうひとつおもしろいのは、ロボット手術だと、動かしかたをぜんぶ数値化できることです。アームがどういう位置関係になって、どう動いているか。それを見ると、うまい人と下手な人がわかる。音楽の楽譜みたいになるんですね。動きに無駄のある人とそうじゃない人、人によって違うのがわかる。

ロボット手術は外科治療を大きく変えました。外科医が非常に楽なポジションで手術できることが大きいです。

これまでの外科手術だと、患者さんに合わせなくてはなりませんから、ずいぶんつらい体勢で手術しなくてはならないことも多かった。だから外科医が歳をとってくると、肩が痛いとかひじが痛いとか、いろんな問題が出てくるものでした。ロボット手術だと無理な姿勢をとることなく、リラックスしてできる。ですから、精度が非常に高くなります。

佐治――ロボット手術のときは、ズームアップもできるんですか？

堀江――もちろんズームアップもできます。物が拡大して見えるということは、たとえば手もとを一〇センチ動かしても、患者さんのほうは一センチしか動いていなかったりするわけです。非常に緻密な作業が可能になります。

佐治――外科といえば肉体労働で、十何時間にも及ぶ大手術とかあるので、やはり外科は男性でなければという風潮もあったと思うのですが、ロボットアームだったら女医さんも楽なんでしょうね。

堀江――ロボットアームには体格なんて全然関係ないですから、女性に非常に向いています。実際にロボット手術で活躍している女性のドクターがいらっしゃいますよ。

アメリカと日本の医療はどう違うか

佐治——アメリカの医学会でおもしろかったのは、泌尿器科のお医者さんの数が限定されているというお話です。日本では数の限定はなくて、泌尿器科の看板をかけたければかけられるという印象ですね。

堀江——そうなんです。

佐治——日本では数の限定は導入しづらいんですか。

堀江——厚生労働省はそうしようとしていますが、アメリカの場合、医師の立場が日本と根本的に違うんです。アメリカの医師は大学にいようと病院にいようと、すべて個人事業主。大学の先生も大学と契約して自分のとりぶんを決める。だから同業者の数をどのくらいにするか、パイを決めて増やさない。

佐治——患者数に対する医師の割合はどうなんですか。たとえば前立腺がんの患者の数に対して泌尿器科の医師の数は。

堀江——日本のほうがずっと多いと思います。

佐治——なぜでしょうね。

堀江——要するに、自分たちの収入を確保したいということでしょう。人数が増えるとひとりあたりの収入が減ると考える。一言でいうとギルドですよね。まあ、競争を激しくすることで、優秀な人を確保するということもあるでしょうけれど。

佐治——もうひとつおもしろかったのは、検査でも何でも、お医者さんが行ったら、患者さんが寝ていて準備万端になっているということです。なぜそれが可能なんですか。

堀江——アメリカは世界で一番医療費が高い国ですが、たとえば看護師さんだけでも七種類くらいいるんです。薬のことだけを扱う看護師、退院の調整だけをする看護師というぐあい。日本だと一人二役とか、マルチなタスクを要求されますけれど、アメリカはひとつのことしかやらないので、何か処置する場合も、準備をする人、器具を用意する人などが別々にいて、それぞれのセクションが患者さんにお金を請求する。だから医療費がものすごく積みあがっていくんです。

佐治——なるほど。となると、そのぶん専門性が高いということでしょうか。

堀江——いや、正直にいうと、ほとんどの場合、日本のほうが医療内容のレベルは高いです。ただ日本の場合は、医者が物品もぜんぶ調べて、消毒もして、いろんなものをひろげて、ということになりますから時間がかかるんです。アメリカの場合は分業なので、同じ時間あたりアメリカで一〇件できるとすると、日本では二～三件しかできないというのはあります。

佐治——なるほどねえ。

堀江——あと、日本人は、与えられた環境のなかで、うまくなろうと工夫をします。アメリカ人は絶対そんな努力はしません。下手なのを努力してうまくなろうなんて気はさらさらない。そのかわり、ぱっとできるように変えていくんです。それが新しいプロダクトを生みだし、ある機器の使い方にせっかく日本人がうまくなったころには、まったく新しいデバイスの治療法を開発している。その発想も違います。

佐治——そこにはアメリカという国の歴史的な背景があるんでしょうね。先生は本当に貴重な経験を積んでこられている。

堀江——いろんな地域のいろんな病院に行きましたからね。

　それから日本でもそうなりつつあるのかもしれませんが、アメリカには保険がある人と保険がない人がいます。レジデントが治療するのは、基本的に保険がない人です。チャリティ病院といいますが、公立病院にはほとんど保険がない人が来るのです。断っちゃいけないことになっています。みんな救急で来る。腹痛で運びこまれてみたら、とんでもないがんだったりして、すぐに治療しましょうとなったとき、専門医はレジデントの指導はしますが、実際の執刀はレジデントがやる。そして専門医は保険のある人たちを手術する。僕がいたころは、そういうシステムになっていました。いまはさすがにいろいろうるさくなっているようですけれどね。

もちろんレジデントも、患者さんを尊敬して、きっちり治療をしていましたよ。それでも社会がわかれているという印象は否めませんでした。

佐治――アメリカのレジデントの立場を少し整理したいんですが、専門医にはなってないけれど医師免許は持っている。とすると、日本の研修医とアメリカのレジデントって、どのぐらい同じで、どう違うんでしょうか。

堀江――日本の研修医制度は、医学部を卒業後まず二年間、全員研修医として働きます（初期臨床研修）。それが終わると保険医になる。つまり保険医療を担えるようになります。その後専門にわかれて、四〜五年、後期臨床研修医として働くのですが、これがアメリカのレジデントにあたります。

ただ日本の場合、四〜五年の後期研修が終わっても、それは通過点にすぎないというか、専門医の長い道のりのはじまりですね、という感じです。アメリカの場合は、基本的に、その五年間なら五年間で、トレーニングを修了するということなんです。職能教育ですから、研修が終わったら独り立ちできるというのが、実際はともかくとして、少なくとも建前になっている。だからレジデントが終わると、極端な場合、遠くの町にひとりで行ってぜんぶやってくださいということになります。

たとえば順天堂大学にはひとつの講座に准教授が四〜五人いて、准教授がふたりとか三人で一緒に手術することもあります。アメリカでは絶対にない。ファカルティ[23]は必ずレジデントと一緒に手術をするのですが、ファカルティがふたりいることはないのです。ふたりいると人件費がかかるということもありますが、ひとりひとりが独立したプロだからでもあります。

だからファカルティが手術でうまくいかない場合も、他のファカルティはたすけない。僕がロボット手術を勉強しにアメリカへ行ったとき、専門医になりたての若い先生が執刀して、泥沼にはまりこんじゃったことがあるんです。僕は別にアメリカの医療制度と関係がない人間なので、こうしたらいい、ああしたらいいと言っていろいろ手伝ったのですが、ファカルティは誰もたすけにこない。

米国では医師は病院とこれこれの手術をするというので契約をしていますから、

【23】**ファカルティ**　大学の教員団、ないしそのメンバー。教授、准教授、講師くらいまで。

そのパフォーマンスが悪いと契約はなしということにもなります。だから、たとえば前立腺の手術はするけれど、腎臓はしませんということもあります。ただ需要の多い手術が入っていないとその人の収入は自動的に減ってしまう。そのあたりは非常にはっきりしていますね。

佐治――手術が行きづまっても誰もたすけないというのは、お医者さんはいいかもしれませんが、手術されている患者さんは困りますね。

堀江――そう、患者本位じゃないですよね。当然手伝うという発想がないんです。

佐治――ところで、アメリカには「総合診療医」というお医者さんがいますね。これはどういう制度なんですか。

堀江――アメリカの総合診療医は、もともとは手術をする前に健康チェックをする先生ということだったんです。ジェネラル・メディスン（general medicine）といいますが、昔は専門性がないということであまり人気がなく、外国人の医師などがやっていました。ちょっと家庭医（family practice）と似てますね。

しかし現在では、たとえば内科といっても糖尿病とか高血圧、あるいは消化器などと細分化されて勉強しているので、内科の先生同士も「これは肺の先生に診てもらいましょう」となったりして、ひとりの先生では完結しないんですね。患者さんも誰に診てもらえばいいのか堂々めぐりしてわからなくなるので、それを解決するために総合診療医が登場し、原因がわからない病気を謎解きのように診断する。総合診療医はテレビでフィーチャーされたこともあって、若い人の人気は割と高いです。ただ、その専門性がむずかしく、どちらかというと教育方面を担いがちですが、人気はあります。

佐治――たしかに患者の側からすれば、「いったいどの科に行ったらいいのか」ってなるときはありますよね。そのとき何かサジェスチョンしてくれる人がいれば。

堀江――そうですね。それが総合診療医ということになります。

佐治――総合診療医の知識の量はすごいなと驚くばかりなのですが……。

堀江――ただ、そこはＡＩなどが一番活用されやすい領域ではあると思います。医者の場合は、常識的でないことが起きているケースを症例報告することが多いので、ありとあらゆる報告をすべて読みこむことで、検索とか診断することはできると思うんです。

臨死体験

堀江――そういうわけで、人生にはいろんな岐路があるというのを身をもって体験させていただきました。

佐治――その岐路をどう解釈し認識するかによって、また人生が変わりますし。

堀江――最近では医者でも、特に大学の勤務医はいろんな会議に出ることが多くて、実際に診療しない人もずいぶんと多くなりました。

佐治――しかし堀江先生はいつもずいぶん忙しくしてらっしゃいますよね。

堀江――順天堂は患者さんの数が日本で一番多いんです。いろんな人が次々にいらっしゃる。わざわざ遠くから来られる方もいます。それも医者冥利につきるので、なるべくきちんと対応しようと心がけているんです。

佐治――そうですか。今さらながら、医療についても僕の知らないことだらけです。

堀江――将来もっとテクノロジーが発展したりＡＩを使うようになると、医療ももっとコミュニケーションをとるとか、スピリチュアルな方向に行くのではないかという気もします。

佐治——スピリチュアルもひところ話題になりましたけれど、科学のなかにスピリチュアリティがあることも多い。たとえば神を信じている科学者は結構いらっしゃいます。そのあたりはこれからの課題になるかもしれません。

ただ人間の一番の問題が生死だとしますと、先生のように人の死を間近に見ていらっしゃる方は、生きているとはどういうことなのか、どうお考えになっているのか興味があります。ある意味では日常茶飯事なのかもしれませんが。

堀江——そうですね。本質的には日常茶飯事なんだと思います。宇宙の大きな時間の枠のなかでは星のきらめきのようなもので、あたりまえのことです。本来、誰もが生まれて死ぬ。ただ少子化であまり生まれなくなってきましたし、死ぬときも大げさになっているとは思います。

佐治——とはいえ、本人には生まれるときも死ぬときもわかりません。つまり「自分自身の、一人称の死って何だ」ということですね。

堀江——いろんな亡くなりかたがあるので一概には言えませんが、僕が何となく予想してるのは、亡くなるときは「楽しんで亡くなる」……というと言いかたが変なんですが、呼ばれて死ぬ方向に行くんじゃないかということです。亡くなるときには、脳の虚血か何かが原因かもしれませんが、きれいな明かりが見えるとか、お迎えが来るといいます。自分の母親とか、すでに亡くなっている人がお迎えに来る。強烈な光が見えて、たいへん美しいすばらしい光景が見える。自分の心もそっちに行きかけているので、「もう今日は、おまえたち帰りなさい」と言う。

亡くなる人は、亡くなる直前にものすごく元気になることがあるんです。僕の母親が亡くなったときもすごく元気で、妹が来てお喋りして、私も「こんなに元気だったら、まだ当分大丈夫だな」と思いました。われわれが夕方までいたら、「もう遅いから帰りなさい」と非常にしっかりした口調で言って、「じゃ帰る」といって帰ったら、次の日は朝からずっと昏睡状態になっていた。

おそらくそのときにそういう光が見えてきて、そっちに行きたいと思ったんじゃないでしょうか。それを「死ぬ」ことだと思っていたかどうかはわかりませんが、そんな感じだったんじゃないか。いろんな書物を読んでみても、強烈な光とか色彩経験はあるように思います。

佐治――ただ亡くなった人からの証言が得られないんですよね。そこを知りたいと思うんですけれど。

堀江――臨死体験といわれますが、それが本当の臨死体験かどうかはわからないですからね。

佐治――光が見えるとかいうのは、亡くなるときに脳の酸素が足りなくなってきて、幻覚が見えているとか、そういう解釈はできないのでしょうか。

堀江――それはわからないですね。

ただこの前、あれは産科の手術だったと思いますが、お産のときに前置胎盤[24]で大量出血し、この出血を止めるのが至難のわざで、そのため一回心臓が止まった人がいるんです。心臓が止まってまた動きだしたり、また止まったりして、最終的には生還しましたが、心臓が止まったりしているから麻酔も途中で切れちゃったりしている。それで、心臓が止まってる時間に起きたことを、その人はぜんぶ覚えていたんです。

佐治――ええ！　そうですか。そういう話を聞くと怖くなりますね。「意識不明です」って言っても実はみんな聞こえてたりするかもしれない。

堀江――そういう話はよく聞きますね。それから離脱体験といって、自分の姿を上から見てるという体験もあります。こういう体験はくりかえし耳にするので、一面の真実はあると思っています。

【24】**前置胎盤**　胎盤が通常より低い、子宮口を覆うような位置に定着した状態。

佐治――特に聴覚について、死ぬときも聴覚だけは最後まで残っているという話を聞きます。五感のなかで聴覚はたいへん重要な位置を占めてるんでしょうね。

解剖は医者の通過儀礼

佐治――先生は解剖の実習をされたときや、はじめて患者さんを担当されたときなどに、戸惑ったり、あわてたりされた経験はありますか。

堀江――杉田玄白[25]じゃないですけれど、解剖実習は医学生がみんなやらなくてはならないことになっているのです。非常に極端な言いかたをすると、人間をパーツに見るトレーニングをするのです。解剖室へ行ってみると、そこに亡くなっている生身の人間がある。最初は気持ち悪いし、いやですよ。でも毎日課題があって、解剖してこういうものを発見しろなんて教科書に書いてある。ここに神経があるはずだとか、血管はこういう配置になっているとか。簡単にいうと、この三〇〇年ぐらいの解剖学の知識を、もう一回再体験するということです。

　そうなると、ご遺体とは呼んでいますけれど、解剖に没頭しているあいだは、死者の体というよりも、その部分部分について、それがどういう構造物かを見て

【25】**杉田玄白**　一七三三―一八一七。江戸時代の蘭学医。小浜藩医時代の一七七一年、舶来の医学書『ターヘル・アナトミア』に掲載された人間の解剖図を見て驚き、友人の蘭学医とともに小塚原刑場で死体の腑分けを見学、同書の解剖図の正確さを確認すると、オランダ語がわからず苦労しつつも翻訳して一七七四年に『解体新書』として出版した。著書に『蘭学事始』など。

いるんです。

佐治——そういうものなんですね。

堀江——ただし顔は厳然としてあるので、しばらくすると、その顔に「愛着」、というと少し違うかもしれませんが、知人のような感覚をおぼえるようになります。最初感じた違和感は減ってきます。減ってはくるんですが、全人的なものというよりは、パーツをぜんぶ持っている人という感じです。だから医学教育における解剖は、わざと意図して、一種の通過儀礼として存在しているのだと思います。

佐治——どういうことでしょう?

堀江——正直にいって、別に解剖実習なんてしなくても、医療者としての医者には、あまり関係ないように思うんですよ。でも解剖実習は、医者という存在の何か根本的なものを養成するものじゃないかとも思います。

佐治——解剖を経験している人と経験してない人は、人間に対しての見方が変わってくるんでしょうね。僕らは経験していないわけですが。

堀江——本質的にいうと、西洋医学は結局、分析する学問ということだと思います。ひとりの人間を全人的にとらえるものではない。人間は個々のパーツから成り立っている。パーツから成り立っているなら怖くないんだ。わざとそういう微視的な発想をとっている。

反対の考えかたとして、表面解剖などといわれるものがあります。生きている人はもちろん解剖できませんが、健康な人間を見たり触ったりすることで、人はこういうふうに体を動かし、そのとき、どの筋肉がどう動くのかを知るトレーニングです。でも医学部では、そういう教育はあまりしません。病人に対する診察法はもちろんありますが、それはあくまで病気であることが前提です。亡くなった人の解剖も、あくまでも人体の構造を発見することが目的なんです。

佐治――僕が不思議なのは、たとえば心臓からどういう血管が出ているかというのは、どの人もほとんど同じなんでしょう？

堀江――それは、人の遺伝子のＤＮＡ配列がほとんど共通だということだと思います。たまに遺伝子のちょっとした違いで、心臓が反対側にある人もおられますが。

佐治――そうなると、遺伝子と生命との関わりの問題になっていく。あるいは、パーツにわけられる人間の身体と精神の関係。結局、「心とは何か」ということになっていくんでしょうか。

堀江――医学の実習トレーニングとして、学生を患者さんのところに行かせて、

「どういう症状がありましたか」

「何かつらいことはありませんか」

などと訊かせるというものがあります。病気がどういう症状を起こすかを確認させるのです。あるいは患者さんを診察させてもらって、病気が体にどう現れてくるか見てもらう。

僕は、学生が僕のところにまわってくると、

「そんなことはいっさい訊かなくていい」

って言うんですよ。

「そうじゃなくて、どこで生まれて、どういう生活をしていたか訊いてみろ」

ってね。

こうすると、学生も結構エンジョイしますし、患者さんも案外協力的です。何より学生が患者さんに人間的な興味を持ってくれる。患者さんに興味を持つことによって、患者さんの価値観がわかりますよね。実は、患者さんの価値観にマッチしない治療をしようとすると、なかなかむずかしいんですよ。そこを実践的に理解できるように、ということです。

佐治――なるほど。それは大事ですね。

堀江――もうひとつ、心について昔からよくいわれることですが、新しい薬には治験というものがあります。市販される前に、その薬に本当に効果があるかどうか試すのですが、治験のときの薬はよく効くってみんな言うんです。ところが、市販されてみんなが使うようになると、言われているほど効かない。

佐治――奇妙な話ですね。

堀江――治験のときははじめて投与しますから、みんな心配ですよね。すると医者も看護師も、「どうですか」「どうですか」と患者さんに訊くんですよ。「何か変わったことはありませんか」とかね。患者さんにそれだけ配慮や注意を向けることが、患者さんの健康にいい方向に作用するのではないかという説があります。

佐治――「病は気から」という言葉を思いだします。プラシーボ[26]効果というものでしょうか。

堀江――プラシーボは、実際かなりの効果がありますよ。

佐治――僕らもよく体験するのですが、歯が痛くてどうしようもないとき、行きつけの歯医者さんに行くと、まだ治療していなくても何となく治っちゃうことがありますね。まあ、痛みがなくなるのは、人間の脳のなかで痛みを感じているこ

【26】**プラシーボ**　プラセボとも。偽薬。外見は薬のようだが、有効成分が入っていないもの。経口薬では乳糖やデンプンが、注射では生理食塩水が多く用いられる。

との裏返しの現象かもしれませんね。

第4章 男性復活！

女と男の新しい生きかたを求めて

医学部入試・女性差別事件

佐治——医学部の入試で女性が不利【1】になった話がありました。あれも学力の面では女性が優秀で、そのままだと女性がたくさん合格してしまうから数を調整したということでしょうが、どうしてその必要があったのか興味があるところです。

堀江——世界のどこの医学部でも、医学生の男女比はほぼ一対一か、やや女性が多いくらいなんです。日本の医学部が男性のほうを入りやすくしたのは、日本の特殊事情が背景にあると思います。そのひとつは、日本の医師は重労働で、なおかつ低賃金だということです。そういった職場ですから、これまでの日本だと女性の医師がキャリアを辞める率が高い。たとえば、子育てと仕事を両立できないんですね。

　しかしアメリカでも香港でもそういう事態にはなっていないので、日本の特殊事情だと思います。また医療現場でそういう問題が顕在化していますが、医師にかぎったことではなくて、他の職種でも女性が子育てをしながら仕事をするのに協力的ではない環境があるのでしょう。

【1】**医学部の入試で女性が不利** 二〇一八年七月、文部科学省の科学技術・学術制作局長が、東京医科大学を私立大学支援事業の対象に選定するのと引き替えに、自分の息子を同大学に不正に合格・入学させてもらっていたことが発覚、収賄の疑いで逮捕された。この事件の内部調査において同大学が女子受験生に一律に減点を課していたことが判明。これを受けて厚生労働省が全国八一の大学を調査した結果、他の大学でも同様な点数操作が行われている疑いが生じ、昭和大学、神戸大学など一〇の大学の医学部が、女子や浪人生に対して減点など不利なとり扱いをし、あるいは、卒業生の子女や特定地域の出身者を優遇するなど得点を操作していたことを公表した。

佐治――そうかもしれませんね。

堀江――官僚についても、国家公務員総合職試験【2】の合格者を各省庁が採用するとき、男性と女性とで明らかに差があります。ここにも何か前提条件があると思うんです。

　だからこの問題は医師や医学部がどうというのではなくて、社会のあらゆるところで均等にすべきだと主張することが大事でしょう。

佐治――やはり女性が社会進出するのはむずかしいという社会構造があるのでしょうか。

堀江――何かしらの抵抗感があるんでしょうね。

佐治――女性は結婚を機に辞める人が多いので、せっかく採用しても辞められたら困るという思いから、男性のほうを採用しておこうと考えるのかもしれません。

　医師についてよく聞くのは、医学部を卒業するのに六年かかって、研修医をやって、さらに専門医にまでなると、三〇歳ぐらいになってしまう。女性だといつ結婚していつ子どもを産むのか問題になるという話です。

堀江――なるべく早く結婚して子どもをつくることで、医師と子育ての両立は可能だと思うんです。専門医までぜんぶ終わってから子どもをつくるのではなく、

【2】**国家公務員総合職試験**　かつての国家公務員上級職試験（一九八四年まで）、I種試験であり、二〇一二年から現在の試験に再編された。院卒者試験と大卒程度試験にわかれ、政策の企画・立案・調査・研究に携わる官僚、いわゆるキャリアになるための試験。試験に合格しても採用されるためには官庁訪問を行い、採用面接を受けなくてはならない。

その過程でつくることは可能だと思うし、可能にしなくてはいけません。さらに外科系は非常に労働時間が長いとか、重労働で過酷な職業だから男性が向いてますと言ったら、「それはおかしな考えだ。もっと生産性をあげるとか、他の考え方はないんですか」となるでしょう。

女性のここがすごい！

佐治――性差は別の職業でもあるかもしれませんね。たとえば、僕たちが大学院とか研究の第一線にいたころの理論物理の原子核の研究では、原子核乾板というものを風船で空高くあげていたのです。乾板というのはガラスの表面に感光剤を塗布した昔の写真のフィルムに相当するものですけれど、空高くあげてやると、宇宙からいろんな素粒子が飛んできて、ガラスのなかの分子と衝突して、その様子が記録されます。その飛跡から、粒子の性質や新しい粒子の生成などが読み取れるわけです。それを顕微鏡で見て飛跡の濃さとか長さなどを正確に測定するわけです。

ところがこの作業は、女性でないとつとまらないんですね。女性特有の根気と忍耐力と精緻な眼力が必要でした。私自身も、なんどか挑戦しましたが、半日ももたない。

堀江――女性は粘り強いですからね。

佐治――二万二〇〇〇個にも及ぶ膨大な恒星のスペクトルを分析して分類表をつくったのも女性でした。女性だからこそできた偉業です。ハーバード大学のアニー・キャノン【3】だったと思います。

それから天王星の発見者でもあるイギリスの天文学者ハーシェル【4】も、巨大望遠鏡をつくって、天体観測をしていましたが、その観測結果を解析したのは、妹のカロラインでした。もともとは、彼はオルガニストでもあって聖職者でもあった人で、妹がいたからこそ天文学上の偉大な発見ができたのです。科学研究の分野でも、女性でないとできない分野もあるんです。でも、巨大な鉄とガラスの塊である当時の望遠鏡を操作するのは、男性の力仕事です。

堀江――そうですね。

佐治――医学の場合もそのあたりをみなさんに周知していただいたうえで、外科・内科・耳鼻科などいろいろあるなかで、こういう方面は女性のほうが強みがあるけれども、こちらの方面はコミュニケーション能力が足りなくても体力のあ

【3】**アニー・キャノン**　一八六三―一九四一。アメリカの天文学者。ウェルズリー大学、ラドクリフ・カレッジで物理学・天文学を学び、一八九六年からハーバード天文台のスタッフとなり、スペクトルによる星の分類法を確立した。

【4】**ハーシェル**　ウィリアム・ハーシェル。一七三八―一八二二。ドイツ生まれのイギリスの天文学者。イギリスに渡る前は軍楽隊員で、イギリスに移住してからも音楽教師・作曲家・演奏家として暮らしていたが、数学や天文学に興味を持って学びはじめ、望遠鏡の製作や天体の観測を開始した。一七八一年に天王星を発見して一躍有名になり、妹のカロラインを助手・記録係として天体の観測と望遠鏡製作をつづけ、天王星や土星の衛星や多くの星雲を発見、さらに星雲は星の集団であるという仮説を立てた。

るほうがいい、といった考えもありうるのでしょうかね。

男女の能力はここが違う

堀江――男性と女性だと男性のほうが空間認知力が高いので、手術の多い外科には男性が多いのではないかとよくいわれます。実際、手術って空間認知力なんですよ。手術の絵なんかを描かせると、外科に向いている人の絵は立体的です。

佐治――そういえば、僕の知っている外科の先生には絵を描く人が多いですね。内科の先生よりずっと多い。

堀江――やはり男女は非常に違いますね。女性のほうが言語能力は高いので、言語能力を必要とする医療では女性が強いのですが、患者さんに対しては非言語的な情報伝達も重要です。黙って座っていることもそのひとつ。でも女性は、あまりそういう非言語的なアプローチはとらないかもしれません。

佐治――いや、黙っている女性ほど怖いものはないですよ（笑）。

堀江――女性の場合は、まず言語がコミュニケーションになるのですけれど、医療には非言語的な部分が結構あることを抑えておくことは大切で、本来、その双方がおたがいを補完すべきなんです。ただし、ひとつのことをきちんと説明する能力という点では、女性のほうが優れているのはまちがいありません。

佐治——そういえば女性には、眼科や皮膚科になる人が多い[5]という話を聞きます。

堀江——生き死ににあまり関係しないこともあって、そういう科に行く人が多いのはたしかですが、小児科に行く女性もいますからね。小児科は僕でも怖いというか、つらいんです。お子さんの生と死は本当につらい。

一方、眼科や皮膚科は基本的に生死に関わらないので仕事の負荷がそんなに高くない。あんまりイレギュラーなことがない。皮膚科で真夜中に急患が担ぎこまれてくるなんて、ほとんどない。

佐治——たしかにそうです。

堀江——日本人は公平が好きなんです。受験についても、公平じゃないと怒る。海外なんか不公平だらけですよ。最近少し問題になっていますけれど、ハーバード大学などの名門私立大学はみんな、OBの子どもは優先的に入学させるとか、アジア人は少数しか入学させないとか、いろんなファクターが働いている。極端な場合には是正する力が働くこともあるけれど、ある程度は必要悪みたいな感じで認知されています。

【5】**女性には、眼科や皮膚科になる人が多い**　厚生労働省HP「女性医師に係る現状について」によると、医療施設従事医師数全体に占める女性の割合は二〇・四%で、女性医師の割合が高い診療科は上から順に、皮膚科（四六・一%）、眼科（三七・九%）、麻酔科（三七・七%）。小児科（三四・一%）、産婦人科（三三・七%）となっている。反対に、整形外科（四・六%）、脳神経外科（五・二%）、泌尿器科（五・三%）、外科（七・八%）は女性医師の割合が低い。

佐治――日本の場合は気候も温暖なので、「なあなあ」で済ませてしまうこともあるんですかね。欧米諸国は気候もきつく、キリスト教が生まれた中東などは本当に厳しいですから、はっきりとした差別、あるいは区別をしないと、一族が生きのびるのもむずかしかったのかもしれない。そのくらい強硬でないと、アメリカという国もつくれなかったでしょう。パイオニア精神なんてものすごく貪欲です。そういう精神がまだ残っているのかもしれない。

堀江――私立大学については、その大学が採りたい人を採る自由度をできるだけ与えるべきだという考えと、いかなる局面においても公平・平等に扱うべし、という考えがどちらもあります。しかし日本の場合は、公平・平等という意識がものすごく強い。

佐治――この問題は、女性のほうが優秀なのに評価されないという文脈で伝えられたから大問題になったと思いますが、医学についてはどうですか、先生が女性と男性を見てこられて。女性はすごく優秀だということがありますか。

堀江――女性はマルチタスクができます。医学教育ですと、解剖学、生理学、薬理学といった非常に多くの分野を勉強しなければならない。こういうのは女性は得意で、男性は不得意ですから、成績だけをいえば、女性のほうがものすごくいいです。

佐治――でも男性の得意分野もあると思っています。たとえば、まったく違う複数のものを持ってきて、これらを使って新しいものを構築せよ、といった課題を出すと、男性のほうがやや優位な印象がある。女性は何ごとも非常に繊細にうまくやるけれど、新しい工夫という面では突飛な発想は少ないかもしれません。男性の発想は狩りの本能ですかね。罠をつくったり、落とし穴を掘ったりしていたなごりなのかもしれませんね。

女性はなぜ強いのか

佐治――人間の男性の特性や女性の特性が生まれた背景には、たとえば四足歩行から二足歩行へ移行し、骨盤の構造が変わって、早めに出産しなくてはいけないことになったこともあるでしょう。人間の赤ん坊はいわば未熟児であって、犬や猫の子どもと違い、教育をされなくては一人前になれない。女性はひとりで子どもを育てられないので、共同養育が必要で、何らかの集団をつくらなければいけない。そこでの男の役割は家や集団を防衛することです。しかし子どもが大きくなって女性から離れていくと、男性は必要なくなってくる。必要なくなったら……、さて、どうしたらいいんでしょうね（笑）。

堀江――男性の自己目的は、シンボリックな意味で「獲物をとってくること」ですから、それがないとダメでしょう。その獲物が何であれ。

佐治――新しいものを持ってくる行動力でしょうか。

　もうひとつ、女性は「騙されたようでいながら騙されていない」、これが昔からオペラにも描かれてきたテーマのひとつです。たとえばプッチーニの「ラ・ボエーム」【6】。ヒロインのミミが蝋燭の火を借りに来る。それにロドルフォは一目惚れをしてしまう。そこへ一陣の風が吹いてきて、蝋燭が消えてしまう。その瞬間にミミは鍵を落とす。ふたりで手探りで鍵を探して、ロドルフォの手がふとミミの手に触れたところで、「この冷たい手に」というすばらしい愛の歌をうたう。それから時は流れて、ミミが死の間際に言ったことは、「私はあなたを愛しているわ。でも、あのときあなたが鍵を先に見つけて、こっそりとポケットに隠して、探すふりして私の手に触れたことを私は知ってたの」と言うのです（笑）。最後の一刺しですね。そうなってくると、女性にだまされていることをまるごと受け入れるというのも、ひとつの男性の生きかたではないかとさえ思えてくるんです

【6】「ラ・ボエーム」　イタリアの作曲家ジャコモ・プッチーニ（一八五八―一九二四）作のオペラ。四幕。一八九六年初演。詩人のロドルフォとお針子のミミ、画家のマルチェッロと歌手のムゼッタの恋のなりゆきを一九世紀のパリを舞台に描く。

が、寛容さという面からいえば、これはどっちもどっちかもしれませんね。

おばあさん効果と幸福度

堀江――いま小児科の夜間の救急病棟に、風邪の子どもが殺到しているんです。親も仕事していて帰宅が遅いから、連れてくる時間も遅く、救急がパンクしてしまう。家庭におばあさんがいれば「そんなの、ほっときな」と言ってくれるのかもしれませんが、いまは家庭におばあさんはいないことが多いですからね。おかげで重症の子どもが診れなくなる弊害がある。

アメリカだと、遠隔地医療のような相談コーナーがあって、お金を払うと診てくれて、「これは大丈夫」とか判断してくれる。これが病院の負担を減らしています。

佐治――確かに昔は、おばあちゃんの智慧がありましたね。おばあちゃんが子どもを診て、「このくらいだったら今晩ひと晩様子を見て、それでダメなら明日の朝病院へ行けばいい」と言っていたりした。そういう人がいないからみんな病院に殺到することになるんでしょうね。

堀江――おばあさんという存在は独特です。人間もゴリラもチンパンジーも閉経の歳はだいたい同じで、五〇歳くらいです。しかしゴリラやチンパンジーは閉経すると死ぬのです。そこが寿命なんです。しかし人間の場合はそこからの人生がある。

女性の月経がなくなるのは老化かといったら、老化ではないのです。月経がいつはじまって、生殖年齢があって、いつ終了するか、ＤＮＡのなかにプログラムされている。すべての人がそうなるのであって、あの人は違っていたということはありません。そして閉経した女性、つまり「おばあさん」のいる集団のほうが、子育てがさかんになる「おばあさん効果」というものがあるのです。

しかし「おじいさん効果」というのはありません。だから「おじいさん」というのはいまのところ文化的な定義であって、生物学的な定義ではない。

佐治――どうしてでしょうね？

堀江――男と女の役割分担ではないですが、女性はやはりその存在自体が日常に即しています。男性はイベント型というか、いつとれるかわからないものを追いかけていくのが本質ですから、大きな違いがあるのでしょう。女性はたえずそこに存在しているといってもいい。いるかいないかわからないお母さんというのでは困ってしまう。しかし、いるかいないかわからない親父というのはいます。

佐治――だとすると、おじいさんの位置づけって何なんでしょう。

堀江――人生一〇〇年時代と言われていますよね。リンダ・グラットンさん[7]が『ライフ・シフト』（共著）で書いていることですが、女性は男性より認知症になりやすい、少なくとも六五歳とか七〇歳以上の年齢になると、女性のほうがなりやすい。しかし七〇歳より前は男性のほうが認知症になりやすい。

おそらく女性は、孫がある程度の年齢になるまで認知症にならないのです。男性の場合はランダムに認知症になっていく。女性は孫が生殖年齢になるくらいまではならない。いろんな遺伝子がプロテクトするんです。

佐治――それは七〇〇万年くらい前の男の役割と女の役割に還元できますか。

堀江――女王蜂と働き蜂の関係に近いのかもしれません。

佐治――リチャード・ドーキンス[8]の話みたいになってきましたね（笑）。七〇〇万年前くらいまでさかのぼると、男性は狩猟、女性は子育ての生活だった。男性は獲物を見つけなくてはいけないから目の生きものになった。だから女の人をじろじろ見たがる。女性のほうは、あえていえば、暗闇のなかで赤ちゃんが泣く。泣き声で赤ちゃんの状態を判断しなければならないので、耳の生きものである、

【7】**リンダ・グラットン**　一九五五–。イギリスの経営学者・組織論研究者。ロンドン・ビジネス・スクール教授。アンドリュー・スコットとの共著『ライフ・シフト――100年時代の人生戦略』（邦訳、東洋経済新報社、二〇一六年）では、人生一〇〇年時代の新しい生き方を教育・雇用・資産・人間関係などさまざまな視点から論じた。

【8】**リチャード・ドーキンス**　一九四一–。イギリスの進化生物学者。進化の単位を遺伝子とし、生物を遺伝子の乗り物にたとえた利己的遺伝子論で有名。無神論者であり、神による創造説に対する苛烈な批判者でもある。著書に『利己的な遺伝子』（一九七六年）、『盲目の時計職人』（一九八六年）など多数。

とも言われていますね。

　その延長線上に現代の人間もいるとなれば、今度は男の位置づけもはっきりさせておかなければ男性としては安心できなくなりますね（笑）。

堀江――閉経後の女性は男性ホルモンも持っているから、目の生きものにもなるのです。だから最強。見えて聞こえる。男性は見えなくなって、聞こえなくなってくる（笑）。

佐治――男性はもともともっているものが衰えてくる。目も利かなくなってしまうのですよね。

堀江――だから男性が九〇歳や一〇〇歳をどう生きるのかは重大な課題なのです。

佐治――たしかにいろんなドラマを見ても、おじいさんはみんなだめですね。やっていることは古くさいし、話は聞かないし、頑固一徹だけで生きてるようなところがある。

堀江――文化の方面では何か意味があるかもしれません。経験値は高いので、その経験値は一応文化として尊敬できる。しかし家族のなかでは、おばあさんと母親が中心なのはどうにもできません。

佐治――生物学的に仕方がない、ということですね。

【9】**濡れ落ち葉**　仕事を引退してずっと家にいるようになった男性が、特にすることもないので、いつも妻にくっついてまわるのが、

堀江――獲物をとらなくなった男性をどう扱えばいいのか、まだ答えが出ていない領域でしょう。

佐治――だから「濡れ落ち葉」[9]なんていう言葉も登場してきたのでしょうか。女性にはそういう話を聞きません。女性はひとりになっても元気に生活する人が多いし、新しい道へ再出発される方もいらっしゃる。一方、男性が仕事から解放されると、行き場を失った格好になる。

堀江――引退後の理想の生き方といえるかわかりませんが、たとえば西行[10]。ひとりで全国さまざまな場所を行脚し、最後はおそらく、釈迦入滅の日に自分も死ぬと思い定めて、飲食を絶って自死を選んだ。哲学者の山折哲雄[11]さんの説ですが、こういう強い人もいる。しかし多くの男性はそんなに強くないので、どう生きるかむずかしい。

佐治――堀江先生の男性医学でどうにかなりませんか（笑）。

堀江――『ゴッドファーザー』[12]（のドン・コルレオーネ）みたいな家長になるのも、ひとつの理想かもしれません。一族郎党がみんな集まってきて食卓を囲む、自分と同じDNAを持った人がたくさん集うことは、ひとつの喜びでしょう。ただ現実には日本の家族は核家族化していますから、大家族の長になるのも困難です。

濡れ落ち葉のようで鬱陶しいということからつけられた呼び名。

【10】西行　一一一八―一一九〇。僧侶・歌人。俗名・佐藤義清。藤原秀郷の子孫で武士として鳥羽上皇に仕えていたが、二三歳で出家し、諸国をめぐって歌を詠んだ。新古今和歌集に多く収録されている。

【11】山折哲雄　宗教学者・評論家。一九三一年生まれ。東北大学大学院文学研究科博士課程単位取得退学。国立歴史民俗博物館教授、国際日本文化研究センター所長などを経て、現在、国立歴史民俗博物館など名誉教授。『さまよえる日本宗教』『日本のこころ、日本人のこころ』など日本人の宗教観に関する著作が多い。

【12】『ゴッドファーザー』　一九七二年公開のアメリカ映画。監督＝フランシス・コッポラ、主演＝マーロン・ブランド（ドン・コルレオーネ役）。ニューヨークのイタリア・マフィアの抗争と家族の絆をハードボイルドに描いて大ヒットし、アカデミー賞でも作品賞など三つの賞を受賞、続編もパートIIIまで制作された。

佐治——僕自身のまわりを見ても、男性がすごく弱いと感じることが多いのです。いま住んでいる場所も、僕たちが住みはじめたころは、子どもを幼稚園にやるような若いお父さん・お母さんばかりだったのに、いまはもうほとんどがお年寄りです。家から駅までバスに乗っていくときも、まわりはみんなお年寄り。おじいさん方はみんな完全におばあさんにせきたてられているような感じで、ちょっと物悲しい気持ちになります。そういうお年寄りに元気になっていただかないといけない。本当は元気になる方法は自分で発見したり、つくったりしてもらわなきゃいけないんですけれど。

堀江——そうですね。

佐治——でも、そのためのお膳立てくらいは、できるかもしれませんね。お膳立てがなきゃできないのではダメだという厳しい意見もあるかもしれませんが、現代の男性を見ていると、自分でダメだと思いこんでしまっているように見えるところもありますから、そのあたりをどうにかできればとも思います。

　幸福度調査[13]というものがあるそうですが、日本の場合、女性の幸福度は圧倒的に男性より上なんだそうです。男女不平等とか女性の社会進出の指標では、女性が政治へ進出してなかったり女性の管理職が少ないということで世界でも相当悪

【13】幸福度調査　幸福度の調査は国際共同調査である世界価値観調査、内閣府の男女共同参画社会に関する世論調査などいくつか存在する。世界価値観調査（二〇一四年版、調査は二〇一〇年）では、日本女性の幸福度は九〇・四％、男性は八二・二％で、男女差は、八・一ポイント、これは調査参加五八か国のなかで男女差が女性優位の方向に一番大きい。内閣府の調査では、平成二二年の調査で「現在幸せである」と回答した人の割合は、女性三四・八％、男性二八・一％で女性のほうがかなり多く、女性優位は平成一二年の調査開始以来、一度も逆転したことがない（『男女共同参画白書 平成二六年版』による）。

　なお、スイスの男女国際フォーラムが発表する『男女平等度ランキング２０１８』では、日本は一四九か国のなかで一一〇位であった。ちなみに平等度ランキングのベスト6は、アイスランド、ノルウェー、スウェーデン、ニカラグア、ルワンダである。

い部類に入るのに、幸福度調査だけは逆で、女性が圧倒的に男性より高いというのです。

堀江――男女の平均寿命【14】は日本だと女性のほうが六～七年ぐらい長いんです。ノルウェーなども平均寿命は長いほうですが、男女の差がなくなってくる。女性も社会的ストレスにさらされると平均寿命が短くなって、男性に近づいてくるんですよ。だとすると、日本の女性にはまだ社会的なストレスがあまりないことが、幸福のひとつの原因かもしれません。

佐治――なるほど。とすると、社会進出していないがゆえにストレスがないということですか。逆にいえば、男性は社会に出て食べものを獲得して、ストレスにさらされて不幸だと嘆いています。

便利な生活は認知症を増やす？

堀江――男性を元気にすると考えたとき、女性がなぜ元気かを考えてみてもいいと思うんです。たとえば歴史的にいって母親とは何かというと、「飯を食べさせる」存在なわけです。男は飯を食べさせない。だから生物学的な話ではないですが、

【14】**男女の平均寿命** 『世界保険統計』二〇一八年版によると、二〇一六年時点で、日本の平均寿命は女性八七・一歳、男性八一・一歳。ノルウェーは女性八四・三歳、男性八〇・六歳。

「飯をつくる」ことは大事になると思います。

佐治——男性もご飯をつくるということで、自らの復権を果たすということですね。

堀江——飯をつくって食べてもらうのは満足感がありますよ。

佐治——たしかに誰か食べてくれる人がいると、頑張ってつくろうという話になります。

しかし僕の経験からいうと、そこからまた問題が起こるのです。たまたま父親が料理をつくったとき、食べてくれた人が「お父さんの料理のほうがおいしい」と言ったとします。すると母親は「そりゃ、時間とお金をかけてるから当然ですよ」となるわけです（笑）。

堀江——能率の概念が入ってきますからね。

佐治——男性はやっぱり要領が悪い。女性が食事をつくるときは、一方でお湯を沸かしながら、もう一方で野菜を切るとか、同時にいろいろやっていて感心します。マルチタスクは女性の強みです。

堀江——バーベキューは男性がとっつきやすくて、元気になれるんじゃないですか。本来男は外に行って獲物をとってくるわけですが、現代の男性はお金を持ってきていても、給与は銀行振込でしょうから目に見えない。目に見えるかたちで子どもから尊敬をかちとるには、バーベキューを焼いて食べさせることです。お父さんも家のなかでの存在理由ができる。

佐治——なるほど、バーベキューですか。持ち寄ってきたいろんな素材を、男性が仕切って焼いていくことで、男性の位置づけがはっきりする。

堀江——料理をつくる場合も、つくるだけではなくて、つくってみんなでシェアするといった仕掛けがあるといいですね。

佐治——生きるために一番根源的なものが食であって、食に携わることは自分の存在の意味を強固にするのですね。

堀江——もうひとつ、囲炉裏もそうですが、火を扱うということに大きな意味があるような気がします。

佐治——火ですか。たしかに火によって人類の生活はずいぶん変わりました。それに火をおこすのは昔は力仕事でしたからね。薪や木の葉の燃やしかた、燃えるものと燃えないものを見わける知恵も必要でした。いまはそういう知恵がなくても生きていけますから、そこに問題があるのかもしれませんね。

堀江——そうなんです。認知症が増えているのも、生活が便利になって、あまり認知する必要がないから認知症になる部分はあると思うんです。昔は何をするのにも手間暇がかかりました。いまはボタンを押せばいろんなことができてしまう。何か欲しければ、アマゾンでも楽天でもマウスでクリックすれば到着する。生活のなかで何かを認知する必要がなくなっていっているのです。だから料理をつくるのは、認知症の予防にもいいと思います。

佐治——料理は実際にやってみるとたいへんです。同時進行でやらなくてはいけないことも多いし、作業の順番も考えてやらなくてはならない。買いものだって、いろんなお店に行って、この材料とこの材料をこの調味料と組みあわせて、こういう料理をつくろうというのは、相当に高度な能力です。

堀江——男性でも女性でも、認知症になる人がご飯をつくっていたらどうなっていくかを調査したらおもしろいかもしれません。ご飯がどんどん手抜きになっていく可能性があります。電子レンジでチンするだけの料理が多くなるとか。実は、このあたりはあまり研究されていないんです。

佐治——コンビニ弁当ばっかり買うようになると、ちょっと危ないかもしれない。

堀江——ＡＩの発展で五〇％の仕事がなくなるといわれます。しかし僕は、仕事が奪われていくより前に、認知力が衰えていく人がもっと早く出てくると思うんです。便利になると同時に失われるものがある。考えてみれば昔のお母さんって、ミシンを踏んだり、手編みや編み機を使って服をつくっていたんですね。いまの若いお母さんが裁縫している姿を見ることはほとんどありません。

佐治――ありませんね。人間はもともと自分でいろんなものをつくりあげることによって人間たりえたものが、いまでは自分でつくらなくても生きていける状況になってしまった。そのツケがいま来ているとも考えられるのでしょうね。

堀江――昔の学会にはコンピューターもありませんでしたし、スライドも手づくりでした。ものすごく労力がかかるので、学会自体も一年間に一回か二回しかなかった。すると、何年何月の学会であの先生がこういう発表をしたなどとみんな憶えている。それがいまのように情報過多になると、学会発表なんかみんな記憶できなくなるんです。何らかのファクトは知っていますが、だんだん記憶されにくくなったことが、人間の行動様式に影響している気がします。

佐治――たしかに学会発表の様相も変わってきました。昔はスライドの写真を一枚一枚、ガチャン、ガチャンと移し変えていったものですが、いまはパワーポイントがあるので、膨大な図やグラフやレジュメをどんどん流していける。ありとあらゆる情報が流れていくので、見ているときは「なるほど」と思いますが、終わったあとになると「いまのはいったい何だったかな」ってわからなくなることも多い。インパクトがないんですね。

堀江――手紙もいまはＥメール。昔だったら本文を書き、宛て名も書き、切手も貼って投函したものが、クリックするだけです。しかも音声認識を使えば文字を打ちこむ必要もない。これが進むとなると、僕は本当にＡＩは認知症を増やすだろうという気がします。

佐治――たしかに増えるでしょう。ただＡＩはいろんなことができるといっても、いろんな人の経験をＡＩが憶えていくだけですから、平均的なことしかできないのではないかという気もするんです。将棋や碁だと、ランダムでもたくさん経験させてやれば、どうにかなるのかもしれません。でも、やはり限界があるのではないでしょうか。人間の脳は考えて考え抜いて、もうダメかと思ったとき突如「ぱっ」とひらめくときがある。ＡＩにそういうひらめきがあるんでしょうか。

堀江――ＡＩに直観的なことができるか、ですね。

佐治――もうひとつは感情です。ＡＩが感情を持つまで進歩するのかどうか。

堀江――ただＡＩが経験できる量は桁外れに大きいので、碁であれば、室町時代から現代までのすべての対戦をわずかな時間で経験できるほどの能力があると聞きました。それだけ大量の経験があれば、経験全体からすれば平均的な結論であっても、経験に限界のある人間からすれば、意表を突く発想に見えるかもしれません。

佐治――それはあるでしょうね。

堀江――感情についても、それを感情と呼べるかどうかは別として、「これが怒るということだ」というアルゴリズムを設定し、いろいろな状況に対応づけて、どういう言葉を発するか、どういう態度をとるかをインプットされれば、ひどい扱いをされたりすると、怒ったときの言葉を発したり泣いたりすることはあるかもしれない。

佐治――人間の脳細胞の個数は、通常働いているものだけでも、一〇の十何乗という数になります。ＡＩはそれに対応できるかどうか。さらに人間の脳は多少カオス的なところがあります。因果関係ですべて決定するのではなくて、あるところまで行くと突発的に、ビッグバンみたいに爆発して別の次元に飛んでいくような力があるような気がするのです。そこはＡＩではできないんじゃないでしょうか。

堀江――人の脳は個別の人間ごとのバイアスがものすごく高いので、ＡＩはバイアスをなるべく減らそうという方向で開発が進んでいると思います。おそらく人間の知覚は、人によって、ある回路は非常に速度が速いけれど、別の回路はひどく遅いことがある。そのあたりの違いに、ＡＩの可能性とともに、人が何かを生みだす可能性を見いだすこともできるかもしれない。

たとえば、幻肢痛といって腕を失くしているのに、存在しない腕が痛いということがあります。神経学的に大きな興味が持たれている現象ですが、反対に、人間の腕に痛みを与えておいて、バーチャルリアリティのヘッドギアをつけて、自分が別空間にいるような状況をつくりだしてから、たとえば大砲を的にあてるような、大音量で、振動感も大きい、インプットが大きいゲームをやると、痛いはずの腕が痛くなくなってしまうのです。「ディストラクション」といって、痛みを感じる回路から気がそれたと一応解釈されていますが、知覚の回路を大きく変えている可能性がある。

佐治――なるほど。

堀江――昔から電気ショックという治療法があって、重い鬱病や統合失調症の人に強烈な電流を流してやると人工的に痙攣します。麻酔を使って眠らせなくてはならないなどいろんな条件があって、現在ではあまり一般的ではありませんが、それで病気が治ったり、性格が変わったりすることはよくある。電気ショックとまで行かなくても、脳に何らかの強い刺激を与えることで、その人の脳の回路は変わりうる。こういう方法はこれからどんどん発展していくのではないでしょうか。

佐治――しかし悪用されると、ヒトラーみたいな大衆煽動にも使われる可能性はありますね。

堀江――潜在的なサブリミナルな刺激を与えることで、人々の嗜好や感情に影響を与えるという。

佐治――二〇年くらい前ですか、コカ・コーラのCMにしこまれていたことが問題になりました。あるいは痒いところに氷をあてると、冷たいという感覚が優位になるので、痒くなくなる。人間はまだまだわからないことだらけですね。

仕事の基本

佐治――先生のご本などで男性の更年期の話などを読ませていただくと、男性ホルモンにはたいへんいろんな働きがあって、男性を活動的にさせますし、愛国ではありませんが、グループへ貢献するようになる役割もあるように思いました。

でも女性は男性に比べてかなり男性ホルモンが少ないと思うのですが、そうすると、女性は愛国心なんかより家族や身近の人のほうに関心が行くということなのでしょうか。

堀江――男性ホルモンは、獲物を見つけて獲って帰ってくるという点では、基本的にはセルフィッシュなホルモンです。セルフィッシュだけれど、獲物を持って「家に」帰ってくる、「帰ってくる場所がある」ことがひとつの前提となっていて、それが集団に貢献するという役割になるのです。逆に集団が形成されてしまうと、集団同士のなわばり争いとか獲物のとりあいといった争いになってしまう。女性は本質的にそんなに争わないですよね。

佐治――たしかに争いませんね。

堀江――争いとは何かといえば、個々人の自我が組織レベルで膨れあがってぶつかりあうということ。テストステロンは基本的にはそういうホルモンだと思うんです。

女性にテストステロンがないわけではありませんが、比較的少ないということは、女性は協力しやすいということです。そして現代は協力したほうが強い時代、コミュニケーションの時代です。しかもマルチタスクの時代ですから、女性のほうが社会的な適合性は高いのではないでしょうか。

佐治——男性の立ち位置がどんどん厳しくなっているような気がします（笑）。

そういえば、本当かどうかは知らないのですが、看護師さんには病院を転々とする方が多いという話を聞いたことがあります。転々とする理由は、あまりひとつの病院に長くいると、主任とか師長といった役職がついてしまうから、それがいやで別の病院へ移るということでした。それはある意味、平等が好きで、権力や争いがきらいということかもしれませんね。

堀江——プロフェッショナルというものについて考えかたもあると思います。たとえばアメリカの労働観の基本は、「自分が習ったことを仕事のなかで行う」「毎日同じ仕事を高い精度でくりかえす」ということですよね。

日本の場合、仕事のなかに成長という概念が入っている。仕事を通じて成長していくという。だから平社員から課長になり、課長から部長へと「成長」する。看護師も主任だ、師長だ、と成長することになっているんですが、では「成長」って何かというと、自分なりのスキルの向上もなくはないけれど、新人の教育とか、会議とか、マネジメントとか、そういう要素も入ってくる。それが好きじゃない人は当然います。

看護師さんはプロフェッショナルですから、成長の部分は他の人に任せて、自分のプロとしてのスキルを別の病院で発揮したいと思うのではないでしょうか。

銀座のクラブのホステスで似たようなことを聞いたことがあるんですが、同じところに長くいると、給料も上がってくるけれど、新人の指導とか余計なことも増えてくるので、ひとつ場所にある程度いたら、また違うところに移るんだと言っていました。これもプロフェッショナルのひとつのかたちかもしれません。

男の嘘はなぜバレるのか

佐治——これからの社会はたしかに、プロフェッショナルな腕を持っていて、ひとつのところに逼塞して変な立場に立たされるよりも、自分の腕の揮いどころを求めて渡り歩くほうが主流となるのかもしれませんね。
堀江——逆に、マネジメント面のみで、昇進していくことが良くないんですね。新しいことへ突き進んでいくのは男性の特徴だと思うんですよ。そこにあるかどうかわからないものを探しに行くのは男性だと思うんです。
佐治——それはもう狩猟の世界でしょうね。

堀江――ロマンともいえるし、無鉄砲ともいえるんだけれど、何らかの信念を持ち、認知能力を存分に働かせて、未知の領野を探索する。それが男性です。

佐治――人類の進化の過程からそうなったんでしょうけれど、ただ、それを現代の社会で考えたとき、全体的に見ると元気な女性は多いけれども、男性はどこか元気のない人が多いように見受けられるんです。未来の展望がないというか。実際に、ご主人が亡くなってますます元気になったというご婦人はたくさん見ますけれど、奥さんが亡くなってますます元気になった男性は、あまり見ない。

堀江――まずいないですね。

佐治――もうちょっと男性が元気になれる方法ってないものでしょうか。男性外来は先生の分野ですから、何か出てこないかと期待も大きいのですが（笑）。

堀江――そういえば、ロボコン[15]ってありますよね。

佐治――ロボットコンテストでしたっけ。

堀江――ロボコンに出てくるチームを見ていると、非常にいきいきとロボットや機械をつくっていて、日本の可能性を感じさせます。最近は女性の参加も多いですが、チームでものづくりや競技をするのは男性的な特徴だと思います。

佐治――先日耳にしたのは、スポーツのなかでも、野球のようにキャプテンがい

【15】**ロボコン**　ロボットコンテスト。現在は高専・専門学校の高専ロボコン、大学生の学生ロボコン、そして国際大会のＡＢＵロボコンの三つの大会がある。それぞれの学校の生徒・学生が手づくりしたロボットが、大会ごとに指定されたゲームで対戦するトーナメント形式の大会。

て四番打者がいてピッチャーがいるといった、役割分担が決まっていて上下関係があるスポーツは、男性のほうが得意だという話でした。女性はみんな平等になってしまうので、統制がとりにくいということだったかと思います。

堀江――男性はヒエラルキーをつくったほうがやりやすいんですよ。テストステロンはヒエラルキーの上位の人、会社だったら社長、野球のチームならキャプテンが、一番テストステロン値が高いんです。

　経営学者のピーター・ドラッカー[16]は、会社のマネジネントに関してですが、リーダーは目標を提示しなきゃいけないし、組織を考えなければいけないし、公平とか公正を大事にしなくてはならない。でも、目標、組織、公平・公正、こういったものはぜんぶテストステロンに関係があるんです。

佐治――そうなんですか。

堀江――ただ、テストステロンはトカゲにだってあるわけです。トカゲがメスをとりあう争いに勝つと、そのトカゲのテストステロンは二週間くらい上がっている。テストステロンってそういうものなのに、どうして人間の文化では「正しさ」に関連することになったのか、不思議ではあります。

　もちろん縄張りを守るとか、自分を表現することにもテストステロンは関係が

【16】**ピーター・ドラッカー**　一九〇九-二〇〇五。ウィーン生まれのユダヤ系経営学者。一九三三年にイギリスへ、一九三九年にアメリカへ移住。ニューヨーク大学教授を長く務めた。カリスマ的経営学者でベストセラーも多く、日本の経営者・ビジネスマンにも多大な影響を与えた。著書も『マネジメント』など多数あるほか、ドラッカー思想の紹介書・啓蒙書を含めると膨大な数にのぼり、たとえば岩崎夏海の小説『もし高校野球の女子マネージャーがドラッカーの『マネジメント』を読んだら』（ダイヤモンド社、二〇〇九年）は二〇〇万部を超える大ベストセラーになった。

ありまして、たとえば、テストステロン値が上がるとブランド品を買うようになったりするんです。ジーパンでも、実用性よりもファッション性を重視するとか。
　逆に考えれば、ブランドショップの広告はテストステロンを上げる広告をしているはずなんですね。挑戦的な若い女性を全面に出したりする。そういうことを示すちゃんとした研究があります。

佐治——いや、実におもしろい。

堀江——そのほかにも、薬を投与してテストステロン値を上げると嘘をつかなくなるという研究がありまして、無作為にするために、まず参加者をクジ引きでふたつのグループにわけます。そして両方のグループからひとりずつ、外からなかが見えないブースのなかでサイコロを振らせ、「サイコロの出た目に応じてお金をあげます」というのです。たとえば6が出たら六〇〇〇円、1が出たら一〇〇〇円さしあげるということにする。でも外からなかは見えないのですから、自己申告になりますよね。
　確率でいえば、1から6はみな平等に出るはずです。しかし実際に参加者に自己申告してもらうと、六割の人が「6が出た」と言うのです。要するに嘘をついている。

しかし本人が知らないうちに、誰が飲んだかわからないようにして片方のグループの参加者だけにテストステロンを服用すると、そのグループでは「6が出た」と自己申告する比率がだいぶ減るんです。「俺は1が出た」とまじめに申告する人が増えてくる。それで、1から6までの数字の比率がなだらかになってくるのです。

佐治――そんなにはっきり影響があるんですね。

堀江――カエルにもトカゲにもあるテストステロンが、どうして人間の文化のなかでそんな働きをするようになったのか、どうにも興味深いんですよ。

佐治――たしかに不思議です。

堀江――それからテストステロンの量は、目の上にある顔の「庇《ひさし》」（医学的には眼窩上隆起といいます）の高さと関係しているっていわれます。ネアンデルタール人はすごく庇が張っていますね。これはテストステロン値が高かったからだとされます。

　実は、ネアンデルタール人[17]の脳は大きいんですよ。脳が大きいけれどスカスカだったというのではなくて、相当な能力があったと思います。しかしネアンデルタール人は家族以上の組織化ができませんでした。あまりにもテストステロンが

【17】**ネアンデルタール人**　諸説あるが、いまから二〇～五〇万年前に地球上に現れ、二～三万年前に絶滅したとされるヒト属の一種。現生人類（ホモ・サピエンス）との関係は不明な点が多く、別種と考えられていたが、ホモ・サピエンスと共存した期間が長く、交配可能であり、現在の人間にはネアンデルタール人のDNAがわずかに混じっているともいわれる。石器を用い、埋葬を行い、壁画を描いた可能性も指摘されるなど、芸術的・宗教的感覚も持っていたと考えられている。

強いんで、組織として生きられない。荒野を放浪するカメラマンかカウボーイのように、自分の本能に従って生きていく人たちばかりだったので、組織的に戦う現生人類に負けたといわれるのです。

自己家畜化した日本

堀江――日本人はネアンデルタール人と正反対だと思います。

自己家畜化という概念があるんですが、たとえば、野生のネズミがいるとします。野原に穴を掘って、地下室みたいなスペースをつくってそこにエサを置いておくと、だんだん餌づけされるネズミが出てきますよね。もちろん餌づけされないネズミもいますが、一〇〇匹いるなかの四〇匹くらいが餌づけされ、穴のなかの狭いスペースで暮らすようになったとする。餌づけされなかったネズミたちは野原を駆けまわっている。そうして餌づけされたほうのネズミが繁殖して三～四世代も経ったとき、餌づけされなかったほうのネズミの子孫と比較すると、脳が小さくなっているんです。要するに、何らかの機能を集団のなかでシェアして使わなくなってるんですね。こういう現象を自己家畜化というのです。

日本人は体も小さいし、脳が大きいわけでもなく、庇のでっぱりぐあいでわかるように、テストステロンの量も少ない。ということは、世界中で一番自己家畜化した民族じゃないかと思うんですよ。

　ということは、日本人は「俺が、俺が」っていう自己主張を好まない民族で、大勢で暮らすことを前提とした協調性とかコミュニケーションとか、そういうものを重視している。しかし、そういうのは女性が圧倒的に強いから、女性にぜんぶやられてしまうんです。ひとりで荒野を駆けめぐっていくのが本来の男性であって、極論すれば、荒海に舟を漕ぎだして、港々《みなとみなと》に奥さんと子どもがいて、というタイプ。でも日本という国の男性「だけ」がそうではない。

　なぜ「だけ」と言ったかといえば、男性ホルモンの値が低くなると、自分をうまく表現できなくなって、人にやられっぱなしになる。やる気もなくなるし、意欲もなくなってくる。つらいですよね。だから日本以外のすべての国には、男性ホルモンの低下を補ういろんな種類の薬があるんです。日本だけがない。

　これが女性の更年期だと、塗り薬、貼り薬、飲み薬、本当にいろんな薬があります。世界各国そうですし、日本にもある。男性ホルモンに関しては、他の国はすべてあるのに、日本だけがない。

佐治――どうしてなんでしょうね。

堀江――僕も疑問に思ったのですが、ひとつ考えついたのは、日本には定年退職があります。人口が過密なので、ある年齢で若い人とチェンジしてくださいということだと思いますが、チェンジした人がなまじ元気だと困るので、隠居してください、つまり枯れてくださいということなんじゃないか。年を経た人があんまり貪欲だと嫌われるではないですか。歳をとって、ごてごてしたロココ調や暑苦しいジャングルが大好きというのはよろしくない。清貧の思想じゃないけれど、枯山水[18]がちょうどいい。

佐治――そうですね。いかにも「ご隠居さま」という感じが求められがちですね。

堀江――ええ、ご隠居さまです。だから日本文化では、テストステロンが隠れたタブーになってるんじゃないかと思うんです。

佐治――なるほどねえ。

堀江――そうはいっても、日本で男性ホルモン剤が発展しなかった明確な理由はないんですけれどね。

　とはいえ医者でも「テストステロンは歳をとったら減るものだ。減るのが自然の理なんだから、それをわざわざプラスするのはいかがなものか」とよく言うん

【18】**枯山水**　日本庭園の形式のひとつ。水を用いず、白砂や赤砂などで水を表し、石や岩と組みあわせて自然の風景を表現するもの。京都龍安寺の石庭が有名。

です。僕自身も専門家ですが、つい数年前までテストステロンは歳をとったら減るものだ、そう思っていた。

だけど、よく統計を見てみると、たしかに集団の平均値は下がってくるのですが、テストステロンの値が高い人は年をとっても高いんです。だから、自然の理で下がってくるんじゃなくて、たとえば社会や地域のなかで自分のすることがないとか、自分を表現することのない人は、テストステロンの値が下がってくるんじゃないかと思うんですね。

佐治――そういう活動をすると、薬を飲んだりしなくても、テストステロン値は上がるものなんですか。

堀江――ええ、上がります。

佐治――外国では薬が発達しているようですが、何か理由があるんでしょうか。

堀江――たとえば、アメリカには定年がありません。定年で引退しなければ、そのままがんばるしかないということだと思います。もうひとつは、まわりがサポートしてくれないので、自分がやるしかないという状況もあるかもしれませんね。

佐治――アメリカの人は、独立独歩のパイオニアという感じがありますよね。

堀江――男性が歳をとってある年齢を超えてくると調子が悪くなることがあると

いうのは、東洋でも何千年前からわかっていることです。だから世界各国でいろいろな対応がされている。イスラムなどで一夫多妻制度がされているのは、ひとつには雇用対策の側面もあって、収入に応じて四人まで奥さんが認められていますけれど、そうなると男性は、少々歳をとっても元気じゃなきゃいけないんですよ。だから男性の活力低下にはある程度対策されている。ひるがえって日本は、男性の力を活用するという視点が非常に弱いんです。

佐治――少子化時代ですから、定年なんかなくして、ばりばり働いてもらったほうがいいという考えもありそうなものですけれどね。

堀江――いまの年金制度を考えると、定年制度を維持するのは無理に思えますからね。

佐治――お年寄りでも若いときからがむしゃらに働いてきた経験があるので、その仕事に関するスキルは持っている。そのスキルをうまく生かせるところがあればいいわけです。ところが、男性はプライドがあるので、そこに葛藤もあると思うんです。

堀江――男性の意識にはどうしてもヒエラルキーがあるから、俺は部長で退職したのに、再雇用されたら、俺が教えたあいつの下で働かなくちゃいかんのか、といった抵抗感はあるでしょうね。
佐治――そうですよね。
堀江――アメリカではそういうことはあまりないんです。おたがい一人称で呼んだりして、年齢的なヒエラルキーは薄い。
佐治――日本の場合、養護老人ホームなんかに行ったら感じるんですが、昔、校長先生をやっていた人なんかは気むずかしくて、なかなか自分を出そうとしなかったりします。プライドが邪魔をするというやつですね。

ボランティアの可能性

堀江――働き方改革ではありませんが、いま会社勤めの人にも副業を認める方向になってきています。収入の足しということもあるでしょうが、マルチトラックというか、いくつかの仕事を同時にやれる。つまり将来、この社会は、ひとつの会社だけに依存する体制ではなくなる可能性もあるように思います。
佐治――でも会社勤めの人が独立独歩で別の仕事というのはむずかしいですから、そういう男性が集まって、コミュニティをつくって活動するとか、そこで自分のスキルを生かせるものがあればいいですね。

堀江——ボランティアなんか一番いいんですけれどね。

佐治——人の役に立つということですね。少なくともそれまでずっと働いてきたので、キャリアはある。だからそのキャリアを生かすことも有益かもしれません。僕も庭を植木屋さんにちょっと手入れしてもらいたいとかいうとき、シルバーバンクとかシルバー人材センターはたすかります。ああいったものを拡張していけるといいかもしれません。あるいは、本当は学校の先生になりたかったけれど、結局別の仕事を選んでしまった。でも、もう一回教えてみたいっていう男性もいると思います。そういう人を集める社会のシステムがあってもいいかもしれない。

堀江——スーパーボランティアの尾畠春夫[19]さんという方がいますね。強烈な個性でみんなの共感を呼んだ人でした。

佐治——ええ、おぼえています。

堀江——すがすがしさを感じる人でした。いま地震や災害に応じたボランティアは結構あるのですが、日常的なボランティアがもっともっとあっていいと思います。

　ただ、歳をとってから突然ボランティアでは、なかなか踏みこみにくいかもし

【19】**尾畠春夫**　一九三九年、下駄職人の四番目の子として大分県に生まれる。洋装やゴム製品の普及もあって生活は苦しく、小学校五年生のとき、口減らしのため農家へ奉公に出された。満足に通えなかった中学校を卒業後、別府の魚屋の小僧となって三年間修行、その後下関の魚屋で三年間、神戸の魚屋で四年間働いたのち、開業資金を貯めるために上京して土木業に従事、一九六八年に大分に戻って結婚と同時に魚屋を開業、大人気となる。四〇歳から趣味で登山をはじめる。六五歳で魚屋を閉め、本格的にボランティア活動を開始。新潟県中越地震、東日本大震災、熊本地震、西日本豪雨など多数の災害で活動。また地域環境美化への貢献で、いくつも表彰を受けている。二〇一八年八月に山口県周防大島町で行方不明だった二歳児を救出したことで一躍有名になった。尾畠氏を指す「スーパーボランティア」という言葉は「二〇一八年新語・流行語大賞」のトップテンに入ったが、受賞を辞退した。

れませんので、なるべく人生の早い時期から関わっていたほうがいいとは思います。

佐治――もうひとつは、なぜボランティアがいいのか、たとえば倫理的・道徳的な側面から説明するとか、クールに宇宙のからくりのなかでそうだと解説することができれば、ボランティアをやってみようかなと思っている人の後押しができるかも、と思います。そうであれば、科学で培われた発想も生き方改革につながるかもしれない。だから、科学だけでなくいろんな分野の人が、言葉を発してくれると、きっと力になります。特に「生きている」ということに一番関わるのはお医者さんですから、医学の立場から発言していただければ大きな力になると思います。

男がひとりで生きるつらさ

佐治――男性には孤独の問題もあります。まわりを見まわしても、男性と女性がそれぞれひとりで生きている場合、女性はあまり困っている感じではありませんが、男性は凄く困っている感じがします。女性は独身でも友だちとか仲間がいて、孤独ではないイメージがありますが、男がひとりだといったら本当にひとり。

堀江——女性は本当に困らないんじゃないですか。

佐治——講演をするとき、教育や子育てが話題にあがることがあって、お子さんのない女性にどう言えばいいのか神経を使うのですが、そのとき僕が言うのは、無性生殖が有性生殖になったために、人間の記憶は大体三代ぐらいで消えるようになっているのではないか。僕らだって、おじいさん・おばあさんの記憶はあるけれども、ひいおじいさん・ひいおばあさんの記憶はない。

だから子育てといっても、自分の産んだ子どもを育てるのは、その子が二〇歳になるぐらいまで自分の責任で行うというだけで、教育はそれだけではない。もっと多数の子どもたちを生涯にわたって教育することもできる。子どもを持つというのも生涯の限られた時期の話にすぎず、広い目で見れば、子どもがいようがいまいが、何百人の母親になれることもできる。女性に対してはそう言ってきて、それほど文句も出なかったのですが、男性の場合はどうでしょうね。

堀江——女性は生活者。ひとりでも生活者として自立している。しかし生活者になれる男性はやはり少ない。

佐治——逆の意味で、いまはコンビニエンス・ストアがあって、ひとりでも生きることはできるだけで、男性はかえって孤立するのかもしれません。

堀江――コンビニだとめんどくさくないというのもあるでしょう。

佐治――コンビニがなくて、誰かにつくってもらわなければならないなら、結婚するなり賄いつきの下宿に入るかして、何がしかの人間関係ができますからね。

男がひとりで生きるメリット

佐治――実をいうと、僕は、それは現代社会の大きなメリットだと思うこともあるんです。

　誰かがいないと生きていけない人は、たぶん誰かがいても生きていけないのではないかと感じるのです。結婚しなければ生きていけないと思う人は、結婚しても何のメリットもない。結婚しなくたって生きていける人が結婚すれば、それなりのメリットがある。

　結婚すれば本当にいろんなことがあります。仕事をするにはデメリットになることもたくさんある。そういうデメリットを避けることで、みんなが均等に元気になりうる可能性がひらけたといえるのかもしれないですね。

堀江――男性は生活者としては弱いけれど、最近は、コンビニなどそこをカバーしてくれるものができたわけですね。

西洋の教養小説（ビルドゥングス・ロマン）では、男性は必ずどこかに旅に出て、いろんな経験を積んで、結局また帰ってきて隣の人と結婚するという定番があります。『青い鳥』なんかもその一例です。「そして、ふたりは仲よく暮らしましたとさ」で終わってしまう。そこからの話がない。だから男性というものは青年期の経験があるだけで、あとは生活者としてはナッシングでした。

いまは男たちが放浪しなくても生活していける時代になった。これはたしかに新しい男性像かもしれません。僕はそういう結婚しない男たちは現実にも増えていますし、とてもおもしろい存在だと思うんですよ。

佐治――結婚していないからこそできるものが相当あるんじゃないかと思えます。

堀江――そうなんです。若者の未婚率【20】が高いのは、特に男性の場合、年収が低いから結婚できないと解釈されがちですが、僕はそれだけでもないと思うんですね。

年収が高くなるような仕事をしていくには、どうしても家事なり何なり、いろいろなことをアウトソースする必要が出てくる。結果として結婚しなくてはならない。でも、その場合、一見年収は高くても、かなりの部分は結婚に搾取されて

【20】若者の未婚率　内閣府によれば、二〇一五年の男性の生涯未婚率は二〇・一四％であり、一九八〇年の二・六〇％から大きく上昇している（女性は二〇一五年が一〇・六一％、一九八〇年が四・四五％）。年代別の男性の未婚率は二五〜二九歳で七二・七％、三〇〜三四歳で四七・一％、三五〜三九歳で三五・〇％である（内閣府HP『平成二八年版 少子化社会対策白書』「未婚化の進行」を参照）。女性には既婚率と年収にほとんど相関が見られないのに対し、男性では既婚率と年収に顕著な正の相関が見られることがしばしば指摘される。

いるわけですよ。

独身の場合、年収が二〇〇万とか三〇〇万かもしれない。結婚している人が年収八〇〇万だとすれば、「この人は年収が多いから結婚してるんだ」と思うに違いないけれども、その人の自由度といった尺度からすれば全然違う可能性があります。

佐治――それは完全に違うでしょうね。ただ男女を問わず、自己肯定感がない方は結構いっぱいいらっしゃる。精神的に疲れた人。僕の教え子にもそんな人がいて、それで結婚している人のほうが一般に幸福感が高いといわれるのは、そばに誰かひとりいてくれることが、自己肯定感につながるのではないかと思わなくもありません。

堀江――もちろんそうなる人もいます。しかし、かえってマイナスになる人も多いと思いますよ。

佐治――そうですね。たしかにプラス要素もあると思いますけれど、マイナス要素もかなりある気がします。集中して何かをやろうとしているときなど、そこに日常生活でのリズム感、たとえばきまった時間にご飯を食べるとか、入浴するとかいうようなイベントなどが入ってくると、ものすごいストレスになることがありますよね。

堀江――単身赴任している人のほうが仕事はよくできますからね。

佐治――ある共働き夫婦の話ですが、お互い定年になって、いつも一緒に生活するようになってから、男性の方の生きる気力が急速におとろえてきて認知症気味になったという話もあります。今までは、自分のことは自分でこなし、それなりの自己肯定感がもてたのに、あれこれ、世話をする人がでてきたために、かえってそれがストレスになってきたのかもしれません。そこは、今までのことは一度、リセットして、たがいに別の角度からみた価値観を一緒に育んでいくしかないでしょうね。それもある意味での新しい出会いだということでしょうね。

堀江――結婚したい人にはたしかに出会いの場は必要だと思いますが、婚活ということもありますからね。いまは年齢はあまり関係ないと思いますし。

佐治――実はこの前、僕の知人の音楽家が結婚したのですが、ご主人は六〇代の後半で、奥様は三〇代前半の元教え子さんでした。奥様の方のご両親は猛反対して大変だったようですが、体外受精でかわいい赤ちゃんが誕生しました。体外受精は女性にとってたいへん苦しいらしいのですが、奥様は顕微鏡下で細胞分裂の瞬間まで見ていたようで、通常の妊婦さん以上に、生命の不可思議さに感動されていました。そのことがきっかけとなって、反対されていたご両親との仲も丸く収まったらしいのですが、それぞれの立場におかれた人たちが、新しい人間関係を築く上で、結婚が提示する大きな意味を考え直すきっかけにもなったことがありました。

堀江――婚活には教会が手っとり早くていいんじゃないかと思います。女性が多くておのずと知りあえますし、まわりもほっとかないでしょう。キリスト教は夫婦をひとつのユニットとして見る感覚が非常に強いですから、独身男性が教会にいたら、まわりの女性はみんな噂していますよ。

佐治――ただ結婚で失うものも多いことは覚悟が必要ですね。統計的な話ではありますが、すぐれた芸術家や科学者の影には、周囲から見た印象ではありますが、悪妻が多かったという事実もありますね。

堀江――さきほど年収のことに触れましたが、そのほかにも失うものは多い。

佐治――だからだめ、ということではなくて、もちろんいいこともたくさんある。どこに幸せの価値を求めるか、ということですね。

堀江――その点、外国の人でもいいかもしれない。なまじおたがいがわからないから。

佐治——知らない人と自分たちの世界をつくっていけるというのはいいですね。世間ではよく共通の趣味があったほうがいいといいますが、下手に共通の趣味があると、かえってたがいに干渉しあうようになりますからトラブルも起こりやすくなりますね。

堀江——ライバルになってしまいますからね。自分の趣味に口出しされるとつらい。

佐治——だから、おたがいがそれぞれ自分の世界を持っていたほうがいい。一番いいのは、教えあえる間柄でしょうか。料理でも何でもいいので。こちらも何か教えるものを持っていられればと思います。

男の生きかた

堀江——おもしろい本がありまして、小屋の写真集なんです。『Cabin Porn《キャビン・ポルノ》 小屋に暮らす、自然と生きる』（グラフィック社、二〇一七年）。なぜポルノなのか僕もわかりませんが、中身は、いろんな掘っ立て小屋の写真と、そのうちいくつかの小屋をつくったときの苦労話です。アメリカのものが多いですが、木の上とか断崖絶壁とか、とんでもないところに小屋をつくったものもある。

　つまり男性って、現実よりロマンが先立つんです。ふと旅だって、いろんな冒険をして、最後に故郷に帰ってきて、めでたしめでたし――かどうかはわかりませんが、生活者というよりは冒険者としての性格が強いんですね。

　いま個々人の生活も多様になってきているなかで、女子のほうが多彩な生活に適応しているといいますか、日常生活については女性のほうが圧倒的に得意なんですよ。男性はコンプレックスを持っている。そうすると男性にはロマンを発揮する場所が必要なんです。

　それはビデオやアニメのような映像でもいいし、ゲーム、あるいは実際に戸外に行って釣りやスポーツをするのでもいいけれども、ロマンを発揮する場を持つことが重要だと思いますね。

佐治――ロマンを発揮できるための場、あるいは、自分がいられる場所。要は、居場所を確保することですね。僕の知人に建築家がいますけれど、彼は都心の狭いところに家を建てましたが、家のなかに段ボールで囲ったような小さな自分のスペースをちゃんと持っています。これは相当な救いになるかもしれませんね。

堀江――ちっちゃくてもいいはずですよね。利休[21]じゃないけれど、二畳の茶室の

【21】**利休**　千利休。一五二二―一五九一。戦国～織豊時代に堺を拠点に活躍した商人にして茶人。侘茶の大成者。織田信長・豊臣秀吉に仕え、秀吉の側近として政治にも関わったが、秀吉の勘気に触れ、切腹を命じられた。

なかがひとつの宇宙になる。

佐治――お茶室は宇宙ですよ。なかに入るのも、こんなに低いにじり口からで。

堀江――結局、男性は生活者じゃないんです。獲物をとって帰ってくる、毎日がチャレンジャーの遺伝子のはずで、だから冒険をしていないと調子が悪くなるんでしょう。

佐治――まず居場所の確保ですが、その居場所も非日常なところであってもいい。

堀江――子どものときを考えても、カブトムシが捕れる場所とか、魚釣りのポイントなんて、人には教えないですよ。あれは男性的だと思います。女子だったら情報交換すると思うんです。

佐治――たしかに。

堀江――だから、ある種の秘密と、自分の世界で何か達成感のあるものが必要なんだと思います。仕事であればそれに越したことはありませんが、趣味でも何でもいいんです。

佐治――男の子の憧れ、秘密基地ですね（笑）。男性が秘密を持っちゃいけないと言われると、何もできなくなるんじゃないかな。

堀江――女性にはなかなか理解してもらえないことですが（笑）。

佐治――されないでしょうね。おそらく「愛してるのになぜ言ってくれないの?」ということになる。

堀江――ええ。

佐治――秘密を言ってしまったがために、すべてが破壊されてなくなるというアメリカ映画がありました。題名は忘れてしまいましたが、人に知られては困るというような秘密ではないのですが、自分だけが知っていることで安心できる秘密の場所のようなところです。他からみれば、たわいのないような光景であっても、本人にとっては、大切なものなのですね。それは、現実のものや具体的なものでなくても、頭のなかの秘密の場所でもいいのかもしれませんね。

男性にもうひとふんばりしてもらうために

堀江――いままでは文化的な背景とか、生活の不便さとか、いろんな事情から結婚制度が必要とされてきたけれど、結婚しなくてもいい時代が来ていることに、僕もたいへん興味を惹かれています。

　フランスなんかは婚外子です。結婚という形態はとらないけれど子どもはいる。

これはある意味自由ではないですか。日本では法制度的にもまだあまり一般的ではないようですが、日本は「遅れている」といえるかもしれない。

そういえば日本にも、タイかどこかに一〇人ぐらい子どもをつくっている人がいました。その人は「子どもを一〇〇人つくるつもりだ[22]」とか何とか言っていたと思います。一時期大騒ぎになったのに、そのあとぱったり報道されなくなりましたが、僕はたいへん興味深いと思ったんです。

佐治――うっすらと記憶があります。

堀江――結婚なんて制度を超越して、自分のＤＮＡを持つ人を一万人くらいつくるんだというのも、生物のひとつの方向性としてはありだと思うんです。だから男性が結婚しないのは、少子化という経済的、あるいは社会の安定の観点から否定的に考えられがちですが、ポジティヴにも解釈できると思うのです。

これまでゲイを社会が拒否していたのも、ひとつには生産的ではないという理由がありました。ゲイは子孫をつくれませんから。しかし現代の社会は、ゲイには寛容になってきています。その前提は、結婚制度が「マスト」の存在ではないということでしょう。

佐治――生物学的に見て雄と雌ができて有性生殖がはじまりました。ところがい

【22】「子どもを一〇〇人つくるつもりだ」 二〇一八年二月、タイの代理母に一九人の子どもを産ませた日本人の実業家（当時二八歳）が、そのうち一三人がタイ政府の保護下にあるのを不服とし、引き渡せと主張した裁判で、一三人全員の親権が認められて勝訴した事件があった。タイ政府はあまりに多数の子どもであることから人身売買など犯罪の疑いがあるとして保護していた。実業家は「一〇〇人から一〇〇〇人の子どもをつくりたい」と言っていたという。

ま、雄の力が全体的に弱くなってきている。ゆくゆくは人間の生殖形態が変わって、もう雄は要らないという方向に行くかもしれない。その可能性はどうお考えですか。

堀江――まだ数万年以上かかるんじゃないですか。

佐治――でも、そういう方向に行く可能性はゼロではないでしょう。

堀江――遺伝子の多様性を生みだすために有性生殖になったのですから、他の方法でそれが可能になれば、有性生殖は要らないはずです。極端な話、ひとりの女性だけでもつくろうと思えば子どもはつくれるので、男性は要らないといえば要らない。

佐治――機械が発達して肉体労働の必要な仕事は機械がかなりやってくれるようになりました。男性が自分の力を見せる場面は減っています。コミュニケーション能力では女性にかなわない。粘り強さもかなわない。マルチタスクでは女性が圧倒的に強い。いや、どうすればいいんでしょうね。

堀江――だからこそ、女性を家のなかに閉じこめてきたのかもしれません。やはり女性のほうが持っているものが多い。

佐治――生物学的にはそうでしょう。そもそも人間が生まれてくるときには、女性として生まれてきて、妊娠七週目あたりから男性になるといわれていますね。女性優位であることは、生物としては仕方がない。

堀江――聖母マリアも天照大神も女性なのですが、人間の歴史はどこかで女性を抑圧する方向に進んでしまった。

佐治――考えてみれば、昔は戦争があった。男は前面で戦い、女性をうしろに引っこめたわけです。また、お産で死ぬ人が多かったこともあって、女性の死亡率はたいへん高かった。治安も悪い。それで女性を守らなくてはならないとすると、家のなかに閉じこめてしまったというのも、その時代なりの理由があるといえるかもしれません。

堀江――分業ですね。昔のギリシアのポリスなどでは、市民の義務は戦争で戦士であることだったりするので、戦士になれない人は市民権がもらえなかったということにも関係しますかね。

佐治――でも、やっぱり男は戦わなきゃならないのでしょうか（笑）。

堀江――戦わなくなると男は困っちゃうんですね（笑）。

佐治――そこから高齢化の問題に繋がっていくわけです。松下幸之助さんがおもしろいことを言ってらっしゃいましたね。ソニーとのビデオ戦争が長時間録画の

ＶＨＳ（ビデオ）の開発によって終結したときでした。当時、物性研究の分野で、その開発のお手伝いをしていたときにお話する機会に恵まれたのですが、「戦意、戦力あれど戦場なし」とおっしゃったんですね。これは、現実には戦わなくても、戦意、戦力がなければだめだ、ということだったようです。

堀江――男性は気持ちだけでも戦いつづけなくてはならない（笑）。

夕暮れにこそロマンがある

佐治――歳をとっても、男性に何とかもうちょっと生きてみるかって思っていただくのは、非常に大事だと思います。というのも、実際、歳をとるのも悪くないです（笑）。

堀江――先生がまさにそれを体現なさっている（笑）。

佐治――歳をとるのを「人生の夕暮れ」なんていいますけれど、僕は夕暮れって大好きですね。「ミネルバのフクロウは黄昏に飛ぶ」[23]という言葉がありますね。この言葉の真意についてはいろんな解釈がありますが、黄昏時にこそ智慧は飛翔する。あるいは、人生の晩年にこそすばらしい輝きがあるのだ、ということかも

【23】「ミネルバのフクロウは黄昏に飛ぶ」　ドイツ観念論の代表的哲学者ヘーゲル（一七七〇－一八三一）の晩年の著作『法の哲学』（一八二一）の序文に出てくる言葉。ミネルバはローマ神話の女神で、ギリシア神話のアテナと同一視され、智慧を司る。フクロウはミネルバの眷属。

しれません。

それから、文語訳聖書には「夕暮れのころに明るくなる」【24】という記述もあります。夕べのころ明るくなるなんて、すごくいい感じではないですか。考えてみれば、夕暮れとは、明るい明日への準備の時間ですからね。

堀江――そういえば、マジックアワーというものがあるそうですね。夕暮れどきの数十分、太陽の光が柔らかくなって空が黄金色に輝く不思議な時間帯がある。

佐治――気象条件も関係するでしょうが、太陽が沈むときに一瞬輝く現象なのでしょうか。

夕暮れどき、自分の生涯をふくめて太陽をのみつくすという詩をカール・ゴットリープ・ラッペ【25】という詩人が書いていて、シューベルトが曲をつけた歌があります。「イン・アーベントロート（Im Abendrot 夕映えのなかで）だったかな。ドイツ語の原詩の意味はこんな感じだったと思います。

ああ、あなたの世界はなんと美しいのでしょう。
父よ、世界が金色にかがやき渡るとき！
あなたのかがやきが西に傾き、

【24】「夕暮れのころに明るくなる」 文語訳聖書のゼカリヤ書14・7の言葉。
茲（ここ）に只一（ただひとつ）の日あるべし ヱホバこれを知（しり）たまふ 是は晝（ひる）にもあらず夜にもあらず 夕暮の頃に明（あかる）くなるべし。

【25】カール・ゴットリープ・ラッペ 一七七三―一八四三。ドイツ北東部・西ポメラニア地方ヴスターフッセンで牧師の子として生まれ、ポメラニア地方を愛し、特にリューベン島をテーマに、海や土地やその住人を賞揚する詩を多く詠んだ。シューベルトが曲をつけた詩にはほかに「孤独な男」（D800）、「逃走」（D825−3）がある。

空をあかね色に染め上げるとき、
雲に生える赤いかがやきが
この静かな窓辺に照りかえるとき！

嘆いたり、怯えたりすることがあろうか。
あなたを失い、自分に自信がもてなくなることに。
いや、私はあなたの空をこの胸に
いつまでもしっかりと抱きつづけたい。
そしてこの心が破裂してしまうまえに
その輝きをいっぱい飲みつくすのだ。（喜多尾道冬[26]訳）

光のなかで、ロマンのなかで終わる。光のなかで生まれて光のなかに消えていく男の最期のイメージが美しい。そして光とは何かと問えば、宇宙のはじまりの光です。ぐるりと始原に戻るのです。

イギリスのシューベルト研究者カペル[27]の言葉をかりれば、「シューベルトの神は、ときには音楽であり、ときには愛であり、そしてそのとき神は美である」と

【26】**喜多尾道冬**　ドイツ文学者・音楽評論家。一九三六年生まれ。中央大学名誉教授。この訳詩は『夕暮れの情景～シューベルト歌曲集』ゲル・ハーヘル、RCA BVCC-34137（株式会社BMG Japan）より引用。

【27】**カペル**　リチャード・カペル。一八八五－一九五四。イギリスの音楽評論家。シューベルトやシューマンらの歌曲の詞の英訳も手がけた。代表作に*Schubert's Songs*（1928）がある。

いうことで、さらにいえば、生きていることへの祈りだともいえるのではないでしょうか。

堀江――きれいな終わりですね。

佐治――また、堀口大學[28]の詩に「夕ぐれの時はよい時」というのがありましたね。

夕ぐれの時はよい時、
かぎりなくやさしいひと時。

それは季節にかかはらぬ、
冬なれば煖炉のかたはら、
夏なれば大樹の木かげ、
それはいつも神秘に満ち、
それはいつも人の心を誘ふ、
それは人の心が、
ときに、しばしば、
静寂を愛することを

【28】**堀口大學**　一八九二―一九八一。詩人・フランス文学者。『月光とピエロ』『砂の枕』ほかの詩集、『ヴェルレエヌ』ほかの評論、サン・テグジュペリやジイドの翻訳など多彩に活躍。とりわけ『月下の一群』をはじめとする訳詩は名高く、日本文学に与えた影響も大きい。

知つてゐるもののやうに、
小声にささやき、小声にかたる……

夕ぐれの時はよい時、
かぎりなくやさしいひと時。

若さににほふ人々の為《た》めには、
それは愛撫に満ちたひと時、
それはやさしさに溢れたひと時、
それは希望でいつぱいなひと時、
また青春の夢とほく
失ひはてた人々の為めには、
それはやさしい思ひ出のひと時、
それは過ぎ去つた夢の酩酊、
それは今日の心には痛いけれど、
しかも全く忘れかねた

その上《かみ》の日のなつかしい移り香《が》。

夕ぐれの時はよい時、
かぎりなくやさしいひと時。

夕ぐれのこの憂鬱は何所《どこ》から来るのだらうか？
だれもそれを知らぬ！
（おお！　だれが何を知つてゐるものか？）
それは夜とともに密度を増し、
人をより強き夢幻へとみちびく……

夕ぐれの時はよい時、
かぎりなくやさしいひと時。

夕ぐれ時、
自然は人に安息をすすめるやうだ。

風は落ち、
ものの響《ひびき》は絶え、
人は花の呼吸をきき得るやうな気がする、
今まで風にゆられてゐた草の葉も
たちまちに静まりかへり、
小鳥は翼の間に頭《かうべ》をうづめる……

夕ぐれの時はよい時、
かぎりなくやさしいひと時。　（『月光とピエロ』所収）

堀江――夕暮れのやさしさ、ですか。

佐治――ユダヤ教やキリスト教では夜から一日がはじまります。砂漠の暑いところでは、まず夜にならないとほっと一息つけないからでしょう。そこから夕べの祈りになる。今日一日を生きたことへの感謝と明日への希望ですね。あるいは、創世記で神が「光あれ」と言う。ということは、最初は暗くて、そこへ「光あれ」と言われたわけです。いつも闇が先です。

ちなみに闇はヘブライ語で「ホシェフ」といいますが、日本語で「濃い雲」とか「密雲」と訳される「アラフェル」という言葉もあって、これは神の居場所を示す言葉です。僕が昔お世話になった前島誠先生の『不在の神は〈風〉の中に』（春秋社、二〇〇五年）という本に書いてあって、「えっ！」と思ったものですが、考えてみれば、闇があって光があるのだから、闇のほうが創造主たる神に近いに違いない。

そう考えるなら、人生の夕暮れもきっと終わりではなくてはじまりなんです。これからはじまると思えば、何だか元気が出てくるような気がしませんか（笑）。

人間存在の意味を求めて

佐治――ちなみに、僕は最近、歳をとってもインテリジェンスをたもちつづけられると思っているのですが、そう考えていていいのでしょうか。

堀江――それは佐治先生のほうがご存じなんじゃないですか。

佐治――いや、コンピューターなんかも次々にヴァージョンアップされるし、ソフトもどんどん新しいのが出てきますよね。ウィンドウズもＸＰに慣れたと思ったら、今度は7になって、またすぐ8になって、いまは10でしょう。僕なんかいまだに昔のワープロが懐かしいと思っているぐらいですから、ヴァージョンアップについていけないというか、ついていこうという気概が持てなくなってきた感じはやはりあるんです。

しかし、相手がヴァージョンアップすれば、そこと交信するには、こちらもヴァージョンアップしなければならないというのは、時勢の流れにコントロールされてるっていう感じが否めませんね。アインシュタインの相対性理論ができても、そこでの光速の速さを無限大におきかえるだけで、古典的なニュートン力学になって、それぞれのシチュエーション如何で、両方が立派な理論として通用するというような互換的な技術であってほしいと思うのですが、というより、それが本物の技術だっていう気もしますけれど。

堀江――でも佐治先生は、科学をやられてから、教育活動や啓蒙活動に熱心に取り組まれているではないですか。そのエネルギーはどこから来るんでしょうか。

佐治――僕はリベラルアーツが非常に大事だと考えているんです。昔ながらのリベラルアーツには数学も入っているし、論理学も宗教も音楽も入っている。そういういろいろな分野を見わたして、はじめて宇宙の全体が見えてくるかなという感覚があります。
そういうさまざまな分野を新しく知ろうとすると、息をするのに吐かないと吸えないように、自分の知っているものを吐きだしてしまうのが大事だと思うんです。まわりにいる人なんかに「歳をとってまで、自分のしていることをみんなに伝えなくてもいいでしょう」と言われることもあるんですが、僕は、新しく息を吸うためには吐きださなければできないと思うんですね。

堀江――ですよね。

佐治――やはり、「なぜ?」という興味がもてるかどうかが、おいてきぼりにされない秘訣のひとつかもしれませんね。子どものころの「なぜ?」と大人になってからの「なぜ?」は、それが発せられるレヴェルは違うわけですから、「なぜ?」と問うことが、さらに自分の知を高めていく原動力にはなるのではないでしょうか。

堀江――あらゆる活動はそうですよね。教養については先生に比べると僕は全然少ないですけれど、いろんな領域の「なぜ?」があって、その「なぜ?」をどう論理的に解決したり発見したりしたかを学ぶのが大事だと思っています。好奇心と論理性のトレーニングとでもいいましょうか。そこでドグマ的にならない、相対的なものの考えかたなんかも学んでいけばいい。

佐治——全体を見越すことによって、自分の位置づけを見いだせる人は強いと思うんです。ある狭い部分のなかだけで自分の位置づけを考えると、「なぜ自分だけが」と不平不満を感じるかもしれませんが、広い視点で見れば安心できることも多いはずです。そういう広い視点を涵養するためのトレーニングがリベラルアーツですね。私が、今、教育的な活動に力を入れている理由のひとつですね。

堀江——佐治先生は科学の枠を超えて、スピリチュアリティや宗教性も踏まえて、全人的というか、全人格的な活動をされている。

佐治——僕は宗教と宗教性は全然別だと思っているんです。人間っていうのは必ず生まれながらにして宗教性を持っていると思うんですね。というのも、人間は自分一人単独で、生きていくためのコントロールはできない状況のなかで暮らしています。たとえば風邪を引いて声が出ないとき、どんな薬を飲んでもだめで、時期が来ないと治らない。自分ではコントロールできない。であれば、自分っていったい何だろうと考えたとき、自分というのは、まわりとのインタラクティブな環境のなかで、はじめて「自分」になっていることに気づくはずです。仏教的な表現になりますが、森羅万象、すべての存在は、独立存在ではありえなくて、すべて相互存在だということですね。それに気づくと、自分の存在の意味も少しづつかもしれませんが、見えてくるんじゃないでしょうか。他の人の世話になって自分がいるように、自分がいること自体が他の人の存在に何らかの影響を与えているはずだ、と。

堀江——そうですね。

佐治——ただ、そんな話を完全にスピリチュアル系の枠組みだけで言うと、根拠不十分ということになって信頼を損ねてしまうことになりかねません。自分が一生かけてやってきたことをベースにしながら、他との関連性において、生きていることの喜びに気づかせてくれるのがリベラルアーツです。

ここで、もうひとつ、付け加えておくならば、リベラルアーツを学ぶことによって、生き方が多少なりとも謙虚になるような気がします。それは、とりもなおさず、自分は自分自身独りで生きているのではなくて、他との関連性において生きていることの自覚がでてくると、そこから、自分も、また、他の存在にたいして、何らかの役に立っているのではないかという気づきが生じますから、自己肯定感覚がよりはっきりしてきます。その一方では、自分では気づかないうちに、他者に迷惑をかけてしまっていることもあるかもしれず、そこから謙虚さが芽生えます。人間にとっての、幸福感をつきつめて考えれば、やはり他者が喜んでくれるということに落ち着くようですね。

いまさら、話題にあげることでもないのですが、この宇宙は、無もないようなところから一粒の光のしずくとして誕生し、その進化の先に私たちがいるわけですね。ということは、今、存在して私たち一人、一人が、何らかの存在の意味を背負っていると考えてもいいのではないでしょうか。「なぜ?」と問い、「そういうことなのか」と驚きをもって納得し、知るよろこびも生きているからこそ感じられるのであり、他者の笑顔にいやされるのも生きているからこそであり、「もうちょっと生きてみようかな」と思いつつ、時を重ねていくのもいいのではないかと思います。確率論の立場からいえば、長生きのコツは、今日一日をしっかり生ききることだと明言することができます。それこそが、歳をとって引退しても本当のご隠居さま、あるいは、ご意見番にもなれる明るい未来への希望になるのではないでしょうか。

対談をおえて

佐治晴夫

堀江重郎博士は、私の主治医である。私は、これまでの八十余年の人生を、いささか面映い気もするのだが、ひとつの交響曲にたとえてみると、その最終楽章に入るか入らないかという時期に、前立腺癌の罹患が確認され、それがきっかけでお知り合いになり、今日に至っているドクターである。しかも、私が罹患した癌は、発症率が少なく標準治療法もいまだ確立していないという始末の悪い導管癌であることから、最終楽章を演奏するにあたって、そのコンサートマスター役を引き受けていただいているドクターなのである。

振り返ってみれば、この人生交響曲の第一楽章は、平和な幼少時から太平洋戦争をまたいで、東京大学物性研究所での研究生活に至るまで、つづく第二楽章は、なかば、大学に籍をおきながら、松下幸之助翁が、日本最初のシンクタンクとして設立した松下電器東京研究所(Matsushita Reserch Institute Tokyo Inc.) での基礎研究から家電への応用研究を含む研究プロジェクト遂行に明け暮れた日々、そして第三楽章は、リベラルアーツを基盤にした大学教育に専心していた時期、それを終えての第四楽章は、大学の学長と大学から幼稚園までを含む学校法人の理事長として教育行政に携わっていた時期である。

最終楽章といえば、数々の苦難を乗り越え、大団円で終結するというのが通例であるが、私の場合は違った。勿論、楽しいこともたくさんあったが、その一方では、これまでの研究生活では味わったことのないまったく異質の試練が待ち受けていたのである。教育の資質を維持することと大学経営を両立させることの難しさ、自分自身の教育理念をはじめての土地で理解してもらうことの難しさ、それらに加えて、目に見えないところで蠢く熾烈なトップの座の獲得争い、その中でも文部科学省はじめ、政界の要人や市議会、新聞社までを巻き込んでのいざこざは、まるでドラマが現実の世界に躍り出たかのようなスリリングさであった。

しかし、大歓迎で迎えられた地域の小学校での授業や、大学の倉庫から掘り出した由緒あるグランドピアノを大学のホールに移設して、夕暮れのひととき、窓越しに上ってくる月明かりでピアノを弾いてみたりなどで心身の疲れを癒し、固唾を呑んで見守るギャラリーを尻目になんとか乗り切った、と自分では思っていた。

ところが、自分の意識下には上らないところでのストレスには勝てなかったようである。大腸がんを発症、これは患部切除で乗り切り、ほっとしたのも束の間、今度は前立腺がんの発症に見舞われたのである。

もちろん、定期的な検査でモニターしていたために、唐突に見舞われたという感じはなく、予想通りの結果だったという受け止め方はできた。ただ、罹患がわかったとき、ふっと思い浮かんだのが、知人の有名作曲家のデビュー五〇周年行事が東京藝術大学奏楽堂で行われたとき、私の隣に座った当のご本人から耳元で囁かれた言葉だった。「私も前立腺がんになってね。手術を受けるか受けないかは、そのまま、(男性)性をとるか、生をとるかを意味するって医者に言われて、結局、僕は後者、つまり生きることの「セイ」をとったのはいいけれど、今、精神科にかかってるんだ」。これは強烈なメッセージだった。

堀江先生に出会ったのは、ちょうどその頃である。統合医療のシンポジウムなどでご一緒したことのある著名なドクターに紹介していただいたのだ。

堀江先生は、診察時の会話をとおして、私の考え方や性格をよく観察吟味しておられて、ぎりぎりまで手術は避けたいという私の気持ちをよく理解してくださっていたようである。たまたまクルマの話になったとき、私が、車齢二十数年、走行距離二十数万キロの古いドイツ車に乗っていることを告げると「それはさすがですね」と興味を示されたそのひとことから、信頼への第一歩がはじまったといっても過言ではない。

やがて、がんの進行度を示す数値が上昇し、放置療法の限界に達したとき、「中身を見てみないとわからないが、できるだけ、丁寧に、ほかの神経系を傷つけないようにがんばってみましょう」ということで、堀江先生の執刀で手術に踏み切った。二〇一五年一月一五日だった。

そして、その一か月後、手術後、はじめての診察のときだった。先生は、いつになく緊張した面持ちでこういわれたのである。「生検の結果ですが、これはまずいです。お仕事もおありでしょうが、今から三年内に……いや長くても五年内にですかね。すべてを終えるようになさってください。もちろん、統計的データでの話ですが……」。二〇一五年二月のことである。そして、さらに先生は、こう告げられた。「先生も研究者なので、おわかりだと思いますから、このがんについての研究論文の一部と、私が大学院生たちの授業で使うためにつくった講義用のパワーポイント原稿をさしあげます」。

それから、ちょうど五年、がんの特性からいえば、けっして安心できるとはいえないが、少なくとも、現時点での気分は元気で、なんとか車の運転もできる程度の状態を保っている。堀江先生のおかげである。この病の経験がきっかけとなって、さまざまな知見に気づかされることになった。我々の未来をおびやかす病も、生きるというプロセスの一部であり、すべてが共存関係にあるとすれば、病との向き合い方しだいで、人生の質、つまりＱＯＬ(quality of life)も変わってくる、ということを実感できたということである。

我々人類は、今から一三八億年の遠い昔、限りなく熱く、まばゆい一粒の光から生まれた宇宙の最終生成物である。人類が他の生成物と大きく異なることは、考える脳をもっていることで、しかも、宇宙進化の過程でつくられた脳そのものが、宇宙進化の様相を認識できているという事実は、不可思議だとしかいいようがない。このことは、我々の物質としての身体と、意識する本体としての心は不可分であることを意味する。これは、ある意味からすれば、「病は気から」と言い伝えられてきている諺についての科学的エビデンスだと解釈してもいいのかもしれない。さらに想いを宇宙にまで拡大すれば、死さえも、生きるというプロセスの一部であることに気づかされる。道元の言葉に従えば、「生（滅）は生（滅）だけですべてであり、ほかの何ものでもないのだから、生（滅）がきたならば、ただひたすらに生（滅）にお仕えすべきである」ということなのだろう。

宇宙の誕生から現在までの宇宙一三八億年の歴史を、ある年の元旦、一月一日、午前0時0分0秒に宇宙が誕生したとして、現在は、大晦日一二月三一日がまさに終わろうとする瞬間だとする宇宙カレンダーで考えれば、天の川銀河が形成されたのは五月一一日、太陽と地球が生まれたのは八月三一日、地球上に生命の気配がでてきたのが、九月二一日、一二月一八日には魚が出現し、哺乳類の誕生は一二月二六日だということになる。

大晦日の一二月三一日の二一時九分ころには日本列島が形成され、現世人類の出現は、二三時五〇分ころ、我々自身の出現は、二三時五九・八五秒あたりである。つまり、このカレンダーによれば、我々の一生はわずか〇・一五秒にすぎないのだが、この〇・一五秒がなければ、宇宙の歴史、一年が完結しない。実数の連続性を思い出すまでもなく、一瞬がすべてを存在させる要になっているということである。さらにいえば、三人称、二人称の死は認知できても、一人称の死は認知しようもなく、はじめもなく終わりもないのであるから、一人称の死は存在せず、生は永遠であると考えてもよさそうだ。

私の人生交響曲の最終楽章も後半にさしかかった今、堀江重郎先生をコンサートマスターにお迎えして、天空の沈黙へと向かう旋律を奏でる機会が得られたことに関して、先生をはじめとして、私を支えてくださったすべての方々に心からの感謝をささげるとともに、三回にわたる対話のなかで、縦横無尽に飛躍する話題をきれいにまとめていただき、また、発行日を手術からぴったり五年目の日にあわせるためになみなみならぬ努力をして下さった春秋社編集部の小林公二氏に、心からの御礼を申し上げたいと思います。

最後になりましたが、男性諸氏のみならず、女性のみなさんも含め、この本をお読みくださった方々が少しでも元気になってくださることがあれば、こんなにうれしいことはありません。

二〇二〇年（令和二年）一月

手術からちょうど五年目、八五歳直前の冬に。雪の中のアトリエにて

対談をおえて

堀江重郎

アメリカの代表的な科学誌である『サイエンス』は一九日、今年「二〇一九年の科学の大発見」の一番に、日本を含む国際チームによるブラックホールの輪郭の撮影成功を挙げています。ブラックホール自体は見えないはずのものですが、その境界がはじめて可視化されたこと、つまりわたしたちが認識できる形で示されたことに大きな意義があるとしました。

宇宙とはあまりに大きな謎です　宇宙のはじまりが一三八億年と聞いても私たちはぴんと来ないですが、しかし始まりがあり、おそらく終わりがあるという事実に慄然とします。さらには、ヒトの頭脳が、少なくとも一つの宇宙の成り立ちと宇宙を支配する法則を解き明かしつつあることに感動を覚えます

古えより、宗教家、哲学者、詩人は「生」について思索し、宇宙の中の塵のごときわたしたちの生をどう意味づけるかを考えてきました。

宇宙にくらべると私たちの生はあまりにもはかなく短いものですが、さらにほとんどの時間を「生きている」ことすら実感せずに過ごしています　しかしどの人も、いつかは「生きていること」を意識する瞬間があります。このとき、自分の生のみならず、家族の生、人間の生、

地球の生を意識することでしょう。

佐治先生は、宇宙の成り立ちのもととなる科学と同時に、わたしたちの生の意義を教えてくれるとても貴重な先生です。先生の頭の中にはアインシュタインと金子みすゞが同じ時空に登場します。

先生と対談をする機会をいただき、先生の知の世界の広がりと豊かさに圧倒されながらも、宇宙もヒトの生も、支配する法則はシンプルであることに気づき、深い感動を覚えました。

私は医師として、ヒトが生を継続すること、そして生きていくうちに生じた不便さを解消するお手伝いをしています。同時に医療者として、多くの方の生を伴走者として見させていただいてきました。生きていくことにはダイナミズムがあります。ヒトの遺伝子はすでにすべて解読されていますが、何が生命のダイナミズムを支えているかはまだまだわからないことばかりです。それは、宇宙の始まりの前に何があったのか、という議論とも共通するかもしれません。

この対談が、読者の皆様の日常のふとした疑問や気づきに触れながら、より広い知の世界へのナビゲーションに少しでもなっていることを願ってやみません。

二〇二〇年（令和二年）一月

堀江重郎 *Horie Shigeo*

一九六〇年、東京生まれ。泌尿器科医。日米で医師免許を取得し、四二歳で帝京大学医学部教授に、二〇一二年には順天堂大学大学院教授に就任、現在に至る。泌尿器科学に加え、男性医学、腎臓学、アンチエイジングを研究。男性ホルモンの低下によって起こるさまざまな症状の診断・治療を行う日本初の「メンズヘルス外来」を開設。手術ロボット「ダヴィンチ」を駆使した前立腺や腎臓手術の開拓者でありエキスパート。日本メンズヘルス医学会理事長、日本抗加齢医学会理事長。著書に『ヤル気がでる！ 最強の男性医療』（文春新書）『いのち』『男性の病気の手術と治療』（かまくら春秋社）『寿命の9割は尿で決まる』（SB新書）他多数

佐治晴夫 *Saji Haruo*

一九三五年、東京生まれ。理学博士（理論物理学）。東京大学物性研究所、松下電器東京研究所を経て、玉川大学、県立宮城大学教授、鈴鹿短期大学学長を経て、現在、同大学名誉学長。大阪音楽大学大学院客員教授。無からの宇宙創生にかかわる「ゆらぎ」の理論研究で知られるが、現在は、宇宙研究の成果を平和教育へのひとつの架け橋と位置づけ、リベラル・アーツ教育の実践にとりくんでいる。日本文芸家協会所属。最近の著書に『量子は不確定原理のゆりかごで宇宙の夢を見る』（トランスビュー）『ぼくたちは今日も宇宙を旅してる』（PHP研究所）『14歳のための時間論』『14歳のための宇宙授業』『14歳からの数学』（春秋社）『詩人のための宇宙授業』（JULA出版）『新世紀版　星へのプレリュード』（一藝社）『宇宙のカケラ』（毎日新聞出版）他多数。

男性復活！

宇宙の進化と男性滅亡に抗して

二〇二〇年一月一五日　第一刷発行

著者――佐治晴夫
著者――堀江重郎

発行者――神田　明
発行所――株式会社　春秋社
〒一〇一―〇〇二一　東京都千代田区外神田二―一八―六
電話〇三―三二五五―九六一一　振替〇〇一八〇―六―二四八六一
http://www.shunjusha.co.jp/
印刷・製本――萩原印刷　株式会社
装丁――芦澤泰偉

ISBN978-4-393-71634-2
Printed in Japan, Shunjusha
JASRAC 出 1914253-901
定価はカバー等に表示してあります